Step-by-Step, Practical Recipes Breads & Ba

Tasty Breads

What better way to start your day than with a slice of fresh home-baked bread; try one from our delicious selection.

Teabreads & Traybakes

Great for afternoon tea, these teabreads and traybakes make for scrumptious snacking and effortless entertaining.

Sweet Bakes

Hot from the oven, filling and flavoursome these recipes will have you reaching for seconds.

48 Tips & Hints for Breads & Baking

FLAME TREE RECIPE BOOKS

FLAME TREE has been creating family-friendly, classic and beginner recipes for our bestselling cookbooks for over 20 years now. Our mission is to offer you a wide range of expert-tested dishes, while providing clear images of the final dish so that you can match it to your own results. We hope you enjoy this super selection of recipes – there are plenty more to try! Titles in this series include:

Cupcakes • Slow Cooker • Curries Soups & Starters • Baking & Breads Cooking on a Budget • Winter Warmers Party Cakes • Meat Eats • Party Food Chocolate • Sweet Treats

www.flametreepublishing.com

Classic White Loaf

INGREDIENTS

Makes 1 x 900 g/ 2 lb loaf

700 g/1½ lb strong white flour
1 tbsp salt
25 g/1 oz butter, cubed
1 tsp caster sugar
2 tsp easy-blend dried yeast
150 ml/¼ pint milk
300 ml/½ pint warm water
1 tbsp plain flour, to dredge

Light wholemeal variation:

450 g/1 lb strong wholemeal flour
225 g/8 oz strong white flour
beaten egg, to glaze
1 tbsp kibbled wheat, to finish

TASTY TIP

Every now and then nothing can beat white bread, especially when it is freshly cooked. While the bread is still warm spread generously with fresh butter and eat. It is simply delicious!

1 Preheat the oven to 220°C/425°F/Gas Mark 7 15 minutes before baking. Oil and line the base of a 900 g/2 lb loaf tin with greaseproof paper. Sift the flour and salt into a large bowl. Rub in the butter, then stir in the sugar and yeast. Make a well in the centre.

2 Add the milk and the warm water to the dry ingredients. Mix to a soft dough, adding a little more water if needed. Turn out the dough and knead on a lightly floured surface for 10 minutes, or until smooth and elastic.

3 Place the dough in an oiled bowl, cover with clingfilm or a clean tea towel and leave in a warm place to rise for 1 hour, or until doubled in size. Knead again for a minute or two to knock out the air.

4 Shape the dough into an oblong and place in the prepared tin. Cover with oiled clingfilm and leave to rise for a further 30 minutes or until the dough reaches the top of the tin. Dredge the top of the loaf with flour or brush with the egg glaze and scatter with kibbled wheat if making the wholemeal version. Bake the loaf on the middle shelf of the preheated oven for 15 minutes.

5 Turn down the oven to 200°C/400°F/Gas Mark 6. Bake the loaf for a further 20–25 minutes, or until well risen and hollow sounding when tapped underneath. Turn out, cool on a wire rack and serve.

1

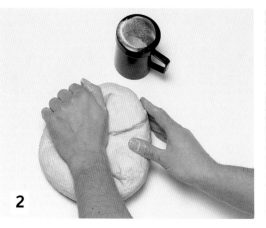

2

4

Rustic Country Bread

INGREDIENTS

Makes 1 large loaf

Sourdough starter:
225 g/8 oz strong white flour
2 tsp easy-blend dried yeast
300 ml/½ pint warm water

Bread dough:
350 g/12 oz strong white flour
25 g/1 oz rye flour
1½ tsp salt
½ tsp caster sugar
1 tsp dried yeast
1 tsp sunflower oil
175 ml/6 fl oz warm water

To finish:
2 tsp plain flour
2 tsp rye flour

HELPFUL HINT
Put the remaining starter in a pan, stir in 125 ml/4 fl oz of warm water and 125 g/4 oz strong white flour. Stir twice a day for 2–3 days and use as a starter for another loaf.

1 Preheat the oven to 220°C/425°F/Gas Mark 7 15 minutes before baking. For the starter, sift the flour into a bowl. Stir in the yeast and make a well in the centre. Pour in the warm water and mix with a fork.

2 Transfer to a saucepan, cover with a clean tea towel and leave for 2–3 days at room temperature. Stir the mixture and spray with a little water twice a day.

3 For the dough, mix the flours, salt, sugar and yeast in a bowl. Add 225 ml/8 fl oz of the starter, the oil and the warm water. Mix to a soft dough.

4 Knead on a lightly floured surface for 10 minutes until smooth and elastic. Put in an oiled bowl, cover and leave to rise in a warm place for about 1½ hours, or until doubled in size.

5 Turn the dough out and knead for a minute or two. Shape into a round loaf and place on an oiled baking sheet.

6 Cover with oiled clingfilm and leave to rise for 1 hour, or until doubled in size.

7 Dust the loaf with flour, then using a sharp knife make several slashes across the top of the loaf. Slash across the loaf in the opposite direction to make a square pattern.

8 Bake in the preheated oven for 40–45 minutes, or until golden brown and hollow sounding when tapped underneath. Cool on a wire rack and serve.

2

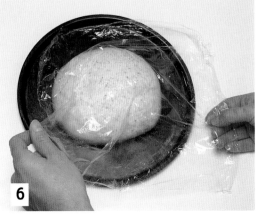

6

7

Soft Dinner Rolls

INGREDIENTS

Makes 16

50 g/2 oz butter

1 tbsp caster sugar

225 ml/8 fl oz milk

550 g/1¼ lb strong white flour

1½ tsp salt

2 tsp easy-blend dried yeast

2 medium eggs, beaten

To glaze and finish:

2 tbsp milk

1 tsp sea salt

2 tsp poppy seeds

HELPFUL HINT

For clover leaf rolls, divide into 3 equal pieces and roll each into a ball. Place the balls together in a triangular shape. For cottage buns, divide the dough into two-thirds and one-third pieces. Shape each piece into a round, then put the smaller one on top of the larger one. Push a floured wooden spoon handle or finger through the middle of the top one and into the bottom one to join together.

1   Preheat the oven to 220°C/425°F/Gas Mark 7 15 minutes before baking. Gently heat the butter, sugar and milk in a saucepan until the butter has melted and the sugar has dissolved. Cool until tepid. Sift the flour and salt into a bowl, stir in the yeast and make a well in the centre. Reserve 1 tablespoon of the beaten eggs. Add the rest to the dry ingredients with the milk mixture. Mix to form a soft dough.

2   Knead the dough on a lightly floured surface for 10 minutes until smooth and elastic. Put in an oiled bowl, cover with clingfilm and leave in a warm place to rise for 1 hour, or until doubled in size. Knead again for a minute or two, then divide into 16 pieces. Shape into plaits, snails, clover leaf and cottage buns. For plaits, divide into 3 equal pieces and roll each piece of dough into a rope about 9 cm/3½ inches long. Plait, then pinch the ends together to seal. For snails, roll into a 25.5 cm/10 inch rope, then form into a coil, tucking the end under the roll to secure (*see* Helpful Hints for the other shapes). Place on 2 oiled baking sheets, cover with oiled clingfilm and leave to rise for 30 minutes, until doubled in size.

3   Mix the reserved beaten egg with the milk and brush over the rolls. Sprinkle some with sea salt, others with poppy seeds and leave some plain. Bake in the preheated oven for about 20 minutes, or until golden and hollow sounding when tapped underneath. Transfer to a wire rack. Cover with a clean tea towel while cooling to keep the rolls soft and serve.

1

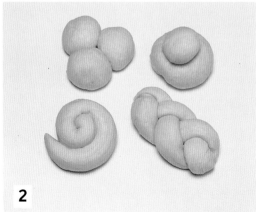

2

3

Sweet Potato Baps

INGREDIENTS

Makes 16

225 g/8 oz sweet potato
15 g/½ oz butter
freshly grated nutmeg
about 200 ml/7 fl oz milk
450 g/1 lb strong white flour
2 tsp salt
7 g/¼ oz sachet easy-blend yeast
1 medium egg, beaten

To finish:
beaten egg, to glaze
1 tbsp rolled oats

HELPFUL HINT

There are many varieties of sweet potato, so be sure to choose the correct potato for this recipe as their flavours and textures vary. The sweet potato used in this recipe is dark skinned and has a vibrant orange flesh which cooks to a moist texture.

1 Preheat the oven to 200°C/400°F/Gas Mark 6 15 minutes before baking. Peel the sweet potato and cut into large chunks. Cook in a saucepan of boiling water for 12–15 minutes, or until tender.

2 Drain well and mash with the butter and nutmeg. Stir in the milk, then leave until barely warm.

3 Sift the flour and salt into a large bowl. Stir in the yeast. Make a well in the centre.

4 Add the mashed sweet potato and beaten egg and mix to a soft dough. Add a little more milk if needed, depending on the moisture in the sweet potato.

5 Turn out the dough on to a lightly floured surface and knead for about 10 minutes, or until smooth and elastic. Place in a lightly oiled bowl, cover with clingfilm and leave in a warm place to rise for about 1 hour, or until the dough doubles in size.

6 Turn out the dough and knead for a minute or two until smooth. Divide into 16 pieces, shape into rolls and place on a large oiled baking sheet. Cover with oiled clingfilm and leave to rise for 15 minutes.

7 Brush the rolls with beaten egg, then sprinkle half with rolled oats and leave the rest plain.

8 Bake in the preheated oven for 12–15 minutes, or until well risen, lightly browned and sound hollow when the bases are tapped. Transfer to a wire rack and immediately cover with a clean tea towel to keep the crusts soft.

4

6

8

Rosemary & Olive Focaccia

INGREDIENTS

Makes 2 loaves

700 g/1½ lb strong white flour
pinch of salt
pinch of caster sugar
7 g/¼ oz sachet easy-blend
  dried yeast
2 tsp freshly chopped rosemary
450 ml/¾ pint warm water
3 tbsp olive oil
75 g/3 oz pitted black olives,
  roughly chopped
sprigs of rosemary, to garnish

To finish:

3 tbsp olive oil
coarse sea salt
freshly ground black pepper

TASTY TIP

As a variation to the rosemary used in this bread, replace with chopped sun-dried tomatoes. Knead the tomatoes into the dough along with the olives in step 3, then before baking drizzle with the oil and replace the salt with some grated mozzarella cheese.

1 Preheat the oven to 200°C/400°F/Gas Mark 6 15 minutes before baking. Sift the flour, salt and sugar into a large bowl. Stir in the yeast and rosemary. Make a well in the centre.

2 Pour in the warm water and the oil and mix to a soft dough. Turn out onto a lightly floured surface and knead for about 10 minutes, until smooth and elastic.

3 Pat the olives dry on kitchen paper, then gently knead into the dough. Put in an oiled bowl, cover with clingfilm and leave to rise in a warm place for 1½ hours, or until it has doubled in size.

4 Turn out the dough and knead again for a minute or two. Divide in half and roll out each piece to a 25.5 cm/10 inch circle.

5 Transfer to oiled baking sheets, cover with oiled clingfilm and leave to rise for 30 minutes.

6 Using the fingertips, make deep dimples all over the the dough. Drizzle with the oil and sprinkle with sea salt.

7 Bake in the preheated oven for 20–25 minutes, or until risen and golden. Cool on a wire rack and garnish with sprigs of rosemary. Grind over a little black pepper before serving.

3

4

6

Wholemeal Walnut Bread

INGREDIENTS

Makes two 350g/12 oz loaves

700 g/1½ lb strong wholemeal
  bread flour

1½ tsp sea salt

7 g sachet fast-action dried yeast

450 ml/¾ pint lukewarm water

2 tbsp walnut oil

1 tbsp clear honey

125 g/4 oz walnuts

1 Place the flour, salt and yeast in a large bowl and stir together. Make a well in the middle and pour in the lukewarm water, the walnut oil and the honey. Gradually work the flour into the liquid until it comes together to make a ball of dough.

2 Place the dough on a lightly floured surface and knead for about 10 minutes until it is smooth, soft and stretchy, or place the dough in a tabletop mixer fitted with a dough hook and knead for 5 minutes until smooth.

3 Preheat a grill and line a baking sheet with foil. Place the walnuts on the baking sheet and grill for a few minutes to toast them. Cool the nuts, then chop them roughly. Knead the chopped walnuts into the dough. Divide the dough in half and then shape into two balls. Dust the top of the bread lightly with flour and cut slashes into the top with a sharp knife to a depth of about 2 cm/¾ inch. Oil a large baking sheet and place the dough on it. Cover with oiled clingfilm and leave in a warm place for about 40 minutes to 1 hour until doubled in size.

4 Preheat the oven to 200°C/400°F/Gas Mark 6. Discard the clingfilm and place the dough in the oven. Bake for 35 minutes until golden. Tap the bread, which should sound hollow when it is cooked. If it sounds heavy, bake it for a few more minutes. Place on a wire rack to cool.

1

3

3

Tomato & Basil Rolls

INGREDIENTS

Makes 10 large rolls

575 g/1¼ lb strong white bread flour

2 tsp salt

7 g sachet fast-action dried yeast

5 tbsp olive oil

300 ml/½ pint lukewarm water

2 tbsp tomato purée

100 g/3½ oz soft sun-dried
  tomatoes, chopped

25 g/1 oz chopped fresh basil

25 g/1 oz Parmesan cheese,
  finely grated

1 tbsp sea salt

1 Sift the flour and salt into a bowl and stir in the yeast. Add 4 tablespoons of the olive oil, the lukewarm water and the tomato purée and mix to a soft dough. Knead the dough by hand for 10 minutes, or place in a tabletop mixer fitted with a dough hook and knead for 5 minutes until smooth and elastic.

2 Return to the bowl and cover with oiled clingfilm. Leave in a warm place for about 1 hour until doubled in size. Turn the dough onto a floured surface and punch it to knock out all the air. Knead in the chopped tomatoes, basil and Parmesan cheese.

3 Cut the dough into 10 pieces. Roll each piece out into a ball and brush over the tops with the remaining 1 tablespoon olive oil. Make shallow diamond-shaped slashes across the top of each one with a sharp knife.

4 Cover the rolls with oiled clingfilm and leave for about 45 minutes until doubled in size. Preheat the oven to 220°C/425°F/Gas Mark 7, 10–15 minutes before baking. Discard the clingfilm and scatter the sea salt over the rolls. Bake for about 20 minutes until risen and golden and the rolls sound hollow when tapped. Leave to cool on a wire rack.

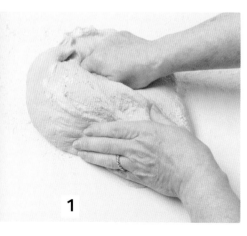

1

2

3

Poppy Seed Plait

INGREDIENTS

Makes 1 loaf

500 g/1 lb 2 oz strong white
  bread flour

2 tsp salt

2 tsp caster sugar

25 g/1 oz white vegetable fat

7 g sachet fast-action
  dried yeast

150 ml /¹/₄ pint milk

150 ml/¹/₄ pint lukewarm water

1 medium egg, beaten

2 tbsp poppy seeds

1 Sift the flour and salt into a bowl and stir in the sugar. Cut the fat into small cubes and rub into the flour in the bowl until it forms fine crumbs. Stir in the yeast and add the milk and lukewarm water.

2 Mix to a soft dough. Place in a tabletop mixer fitted with a dough hook and knead for 5 minutes, or turn out onto a floured surface and knead by hand for about 10 minutes until smooth and elastic.

3 Return to the bowl and cover with oiled clingfilm. Leave in a warm place for about 1 hour until doubled in size. Discard the clingfilm, place the dough on a floured surface and knead it to knock out all the air.

4 Grease a baking sheet. Divide the dough into three equal pieces and roll each into a thin rope about 30 cm/12 inches long. Place the ropes side by side and plait them, starting from halfway down. Be careful not to stretch the dough. Join the ends and tuck underneath. Place the plaited loaf on the baking sheet. Cover with oiled clingfilm and leave to rise in a warm place for about 45 minutes until doubled in size.

5 Preheat the oven to 220°C/425°F/Gas Mark 7. Discard the clingfilm and brush the risen dough with the beaten egg. Sprinkle over the poppy seeds and bake for about 30 minutes or until golden. To test if the bread is cooked, tap the underside with your knuckles. It should sound hollow if the bread is done. Cool on a wire rack. Eat within 24 hours.

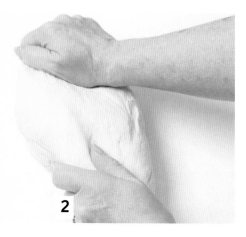

2

3

4

Hot Cross Buns

INGREDIENTS

Makes 12

500 g/1 lb 2 oz strong white
   bread flour
1 tsp salt
2 tsp mixed spice
50 g/2 oz soft light brown sugar
7 g sachet fast-action dried yeast
275 ml/9 fl oz milk
1 medium egg, beaten
50 g/2 oz butter, melted and cooled
225 g/8 oz mixed dried fruit

For the decoration:
1 medium egg, beaten
75 g/3 oz shortcrust pastry
50 g/2 oz caster sugar

1 Sift the flour, salt and spice into a bowl and then stir in the sugar and yeast. In a jug, whisk together the milk and the egg. Add the liquid to the flour in the bowl with the cooled melted butter and mix to a soft dough. Knead for 10 minutes by hand, or for 5 minutes using a tabletop mixer fitted with a dough hook, until smooth and elastic.

2 Knead in the fruit and then place the dough in a bowl. Cover it with oiled clingfilm. Leave in a warm place for about 1 hour until doubled in size. Butter a large 32 x 23 cm/12 x 9 inch baking tray or a roasting tin. Cut the dough into 12 chunks and roll each one into a ball. Place in the tray, leaving enough space for the buns to rise and spread out. Cover with the oiled clingfilm and leave for about 45 minutes until doubled in size.

3 Preheat the oven to 200°C/400°F/Gas Mark 6. Discard the clingfilm and brush the buns with the beaten egg. Roll the pastry into long thin strips. Place a pastry strip over and along the length of each bun, then place another strip in the opposite direction to make crosses. Repeat, topping all the buns with pastry crosses. Bake for 20–25 minutes until risen and golden.

4 Heat 2 tablespoons of water and add the caster sugar, continuing to heat gently until the sugar is completely dissolved. While still hot, turn the buns out of the tray and place on a wire rack. Brush the sugar glaze over the warm buns and leave to cool. These are best eaten on the day of baking. Split and toast any leftovers and serve with butter.

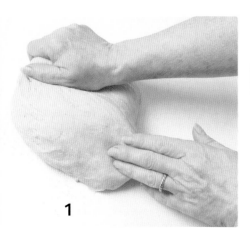

1

2

2

Fruit & Spice Chocolate Slice

INGREDIENTS

Makes 10 slices

350 g/12 oz self-raising flour
1 tsp ground mixed spice
175 g/6 oz butter, chilled
125 g/4 oz plain dark chocolate,
  roughly chopped
125 g/4 oz dried mixed fruit
75 g/3 oz dried apricots, chopped
75 g/3 oz chopped mixed nuts
175 g/6 oz demerara sugar
2 medium eggs, lightly beaten
150 ml/¼ pint milk

HELPFUL HINT

When chopping dried apricots into small pieces it is far easier if you use scissors as dried apricots are sticky. Keep dipping the scissors into flour to stop the apricots from sticking together. This applies to all sticky ingredients such as glacé cherries, candied peel and other ready-to-eat dried fruits.

1 Preheat the oven to 180°C/350°F/Gas Mark 4, 10 minutes before baking. Oil and line a deep 18 cm/7 inch square tin with nonstick baking parchment. Sift the flour and mixed spice into a large bowl. Cut the butter into small squares and, using your hands, rub in until the mixture resembles fine breadcrumbs.

2 Add the chocolate, dried mixed fruit, apricots and nuts to the dry ingredients. Reserve 1 tablespoon of the sugar, then add the rest to the bowl and stir together. Add the eggs and half of the milk and mix together, then add enough of the remaining milk to give a soft dropping consistency.

3 Spoon the mixture into the prepared tin, level the surface with the back of a spoon and sprinkle with the reserved demerara sugar. Bake on the centre shelf of the preheated oven for 50 minutes. Cover the top with tinfoil to prevent the cake from browning too much and bake for a further 30–40 minutes, or until it is firm to the touch and a skewer inserted into the centre of the cake comes out clean.

4 Leave the cake in the tin for 10 minutes to cool slightly, then turn out onto a wire rack and leave to cool completely. Cut into 10 slices and serve. Store in an airtight container.

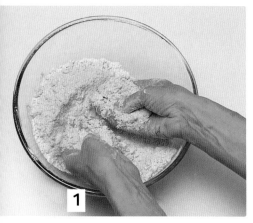
1

2

3

Chocolate Pecan Traybake

INGREDIENTS

Makes 12

175 g/6 oz butter
75 g/3 oz icing sugar, sifted
175 g/6 oz plain flour
25 g/1 oz self-raising flour
25 g/1 oz cocoa powder

For the pecan topping:

75 g/3 oz butter
50 g/2 oz light muscovado sugar
2 tbsp golden syrup
2 tbsp milk
1 tsp vanilla essence
2 medium eggs, lightly beaten
125 g/4 oz pecan halves

HELPFUL HINT

When a recipe calls for butter or margarine, the solid block variety (not the soft tub alternative, which has had air beaten in) must be used. Low-fat spreads break down on heating and, as they contain a large proportion of water, the end result will not be correct and the cake or tart will be disappointing.

1 Preheat the oven to 180°C/350°F/Gas Mark 4, 10 minutes before baking. Lightly oil and line a 28 x 18 x 2.5 cm/11 x 7 x 1 inch cake tin with nonstick baking parchment. Beat the butter and sugar together until light and fluffy. Sift in the flours and cocoa powder and mix together to form a soft dough.

2 Press the mixture evenly over the base of the prepared tin. Prick all over with a fork, then bake on the shelf above the centre of the preheated oven for 15 minutes.

3 Put the butter, sugar, golden syrup, milk and vanilla essence in a small saucepan and heat gently until melted. Remove from the heat and leave to cool for a few minutes, then stir in the eggs and pour over the base. Sprinkle with the nuts.

4 Bake in the preheated oven for 25 minutes or until dark golden brown, but still slightly soft. Leave to cool in the tin. When cool, carefully remove from the tin, then cut into 12 squares and serve. Store in an airtight container.

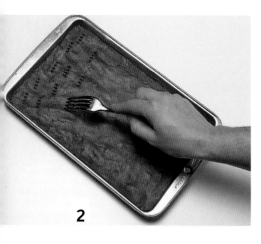

2

3

4

Crunchy-topped Citrus Chocolate Slices

INGREDIENTS

Makes 12 slices

175 g/6 oz butter

175 g/6 oz soft light brown sugar

finely grated rind of 1 orange

3 medium eggs, lightly beaten

1 tbsp ground almonds

175 g/6 oz self-raising flour

¼ tsp baking powder

125 g/4 oz plain dark chocolate, coarsely grated

2 tsp milk

For the crunchy topping:

125 g/4 oz granulated sugar

juice of 2 limes

juice of 1 orange

1 Preheat the oven to 170°C/325°F/Gas Mark 3, 10 minutes before baking. Oil and line a 28 x 18 x 2.5 cm/11 x 7 x 1 inch cake tin with nonstick baking parchment. Place the butter, sugar and orange rind into a large bowl and cream together until light and fluffy. Gradually add the eggs, beating after each addition, then beat in the ground almonds.

2 Sift the flour and baking powder into the creamed mixture. Add the grated chocolate and milk, then gently fold in using a metal spoon. Spoon the mixture into the prepared tin.

3 Bake on the centre shelf of the preheated oven for 35–40 minutes, or until well risen and firm to the touch. Leave in the tin for a few minutes to cool slightly. Turn out onto a wire rack and remove the baking parchment.

4 Meanwhile, make the crunchy topping, place the sugar with the lime and orange juices into a small jug and stir together. Drizzle the sugar mixture over the hot cake, ensuring the whole surface is covered. Leave until completely cold, then cut into 12 slices and serve.

HELPFUL HINT

It is important that the cake is still hot from the oven when the citrus topping is added, otherwise it will simply sit on the cake.

1

2

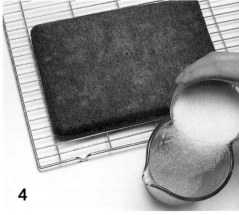

4

Marbled Chocolate Traybake

INGREDIENTS

Makes 18 squares

175 g/6 oz butter
175 g/6 oz caster sugar
1 tsp vanilla essence
3 medium eggs, lightly beaten
200 g/7 oz self-raising flour
½ tsp baking powder
1 tbsp milk
1½ tbsp cocoa powder

For the chocolate icing:

75 g/3 oz plain dark chocolate, broken into pieces
75 g/3 oz white chocolate, broken into pieces

TASTY TIP

To marble the topping, spread the dark chocolate evenly over the top of the cake. Put the white chocolate into a small piping bag or a greaseproof piping bag and drizzle over the dark chocolate in random circles. Use a cocktail stick or skewer to drag the 2 chocolates together.

1 Preheat the oven to 180°C/350°F/Gas Mark 4, 10 minutes before baking. Oil and line a 28 x 18 x 2.5 cm/11 x 7 x 1 inch cake tin with nonstick baking parchment. Cream the butter, sugar and vanilla essence until light and fluffy. Gradually add the eggs, beating well after each addition. Sift in the flour and baking powder and fold in with the milk.

2 Spoon half the mixture into the prepared tin, spacing the spoonfuls apart and leaving gaps in between. Blend the cocoa powder to a smooth paste with 2 tablespoons of warm water. Stir this into the remaining cake mixture. Drop small spoonfuls between the vanilla cake mixture to fill in all the gaps. Use a knife to swirl the mixtures together a little.

3 Bake on the centre shelf of the preheated oven for 35 minutes, or until well risen and firm to the touch. Leave in the tin for 5 minutes to cool, then turn out onto a wire rack and leave to cool. Remove the parchment.

4 For the icing, place the plain and white chocolate in separate heatproof bowls and melt each over a saucepan of almost boiling water. Spoon into separate nonstick baking parchment piping bags, snip off the tips and drizzle over the top. Leave to set before cutting into squares.

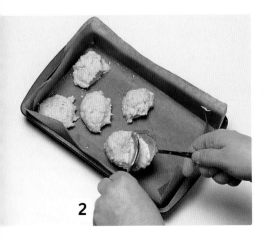

2

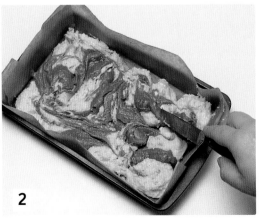

2

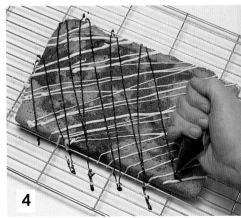

4

Light White Chocolate & Walnut Blondies

INGREDIENTS

Makes 15

75 g/3 oz unsalted butter
200 g/7 oz demerara sugar
2 large eggs, lightly beaten
1 tsp vanilla essence
2 tbsp milk
125 g/4 oz plain flour,
  plus 1 tbsp
1 tsp baking powder
pinch of salt
75 g/3 oz walnuts, roughly chopped
125 g/4 oz white chocolate drops
1 tbsp icing sugar

TASTY TIP

For a chocolate topping, mix together about 50 g/2 oz each of white, milk and plain chocolate chips. Sprinkle over the hot blondies as soon as they are removed from the oven. Leave the cake to cool. Cut into squares and serve from the tin.

1 Preheat the oven to 190°C/375°F/Gas Mark 5, 10 minutes before baking. Oil and line a 28 x 18 x 2.5 cm/11 x 7 x 1 inch cake tin with nonstick baking parchment. Place the butter and demerara sugar into a heavy-based saucepan and heat gently until the butter has melted and the sugar has started to dissolve. Remove from the heat and leave to cool.

2 Place the eggs, vanilla essence and milk in a large bowl and beat together. Stir in the butter and sugar mixture, then sift in the 125 g/4oz of flour, the baking powder and salt. Gently stir the mixture twice.

3 Toss the walnuts and chocolate drops in the remaining 1 tablespoon of flour to coat. Add to the bowl and stir all the ingredients together gently.

4 Spoon the mixture into the prepared tin and bake on the centre shelf of the preheated oven for 35 minutes, or until the top is firm and slightly crusty. Place the tin on a wire rack and leave to cool.

5 When completely cold, remove the cake from the tin and lightly dust the top with icing sugar. Cut into 15 blondies, using a sharp knife, and serve.

1

3

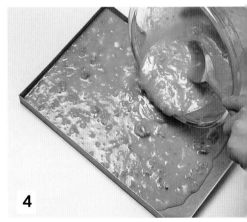
4

Butterscotch Loaf

INGREDIENTS

Serves 8

1 banana, peeled, weighing about
  100 g/3½ oz
125 g/4 oz soft margarine
125 g/4 oz golden caster sugar
2 medium eggs
1 tsp almond extract
½ tsp vanilla extract
125 g/4 oz self-raising flour
75 g/3 oz dark chocolate chips
75 g/3 oz walnuts, chopped

To decorate:

50 g/2 oz natural icing sugar
25 g/1 oz golden lump sugar

1 Preheat the oven to 170°C/325°F/Gas Mark 3. Grease and line the base of a 1 kg/2 lb 3 oz loaf tin with a long thin strip of nonstick baking parchment.

2 Place the banana in a bowl and mash. Add the margarine, sugar and eggs along with the extracts and sift in the flour. Beat until smooth, then stir in the chocolate chips and add half the chopped walnuts. Stir until smooth, then spoon into the tin and spread level.

3 Bake for about 45 minutes until a skewer inserted into the centre comes out clean. Leave in the tin for 5 minutes, then turn out to cool on a wire rack, peel away the paper and leave to cool.

4 To decorate, make the icing sugar into a runny consistency with 2 teaspoons water. Drizzle over the cake and sprinkle over the remaining walnuts and the sugar lumps. Leave to set for 30 minutes, then serve sliced.

FOOD FACT

Icing sugar is usually sold plain and white, but can also be bought as an unrefined golden (or 'natural') variety, as needed for this recipe.

2

2

4

Marmalade Loaf Cake

INGREDIENTS

Serves 8-10

175 g/6 oz natural golden caster sugar
175 g/6 oz butter, softened
3 medium eggs, beaten
175 g/6 oz self-raising flour
finely grated zest and juice
  of 1 orange
100 g/3½ oz orange marmalade

For the topping:

zest and juice of 1 orange
125 g/4 oz icing sugar

1 Preheat the oven to 180°C/350°F/Gas Mark 4. Grease and line a 1 kg/ 2 lb 3 oz loaf tin with a long thin strip of nonstick baking parchment.

2 Place the sugar and butter in a bowl and whisk until light and fluffy. Add the beaten egg a little at a time, adding 1 teaspoon flour with each addition.

3 Add the remaining flour to the bowl with the orange zest, 2 tablespoons orange juice and the marmalade. Using a large metal spoon, fold the mixture together using a figure-of-eight movement until all the flour is incorporated. Spoon the batter into the tin and smooth level.

4 Bake for about 40 minutes until firm in the centre and a skewer inserted into the centre comes out clean. Cool in the tin for 5 minutes, then turn out to cool on a wire rack.

5 To make the topping, peel thin strips of zest away from the orange and set aside. Squeeze the juice from the orange. Sift the icing sugar into a bowl and mix with 1 tablespoon orange juice until a thin smooth consistency forms. Drizzle over the top of the cake, letting it run down the sides. Scatter over the orange zest and leave to set for 1 hour.

2

4

5

Banana & Honey Tea Bread

INGREDIENTS

Makes 1 900g/2lb loaf

2 large peeled bananas, about
   225 g/8 oz
1 tbsp fresh orange juice
125 g/4 oz soft margarine
125 g/4 oz soft light brown sugar
125 g/4 oz honey
2 medium eggs, beaten
225 g/8 oz wholemeal self-raising flour
½ tsp ground cinnamon
75 g/3 oz sultanas

1 Preheat the oven to 180°C/350°F/Gas Mark 4. Grease a 900 g/2 lb loaf tin and line the base with a strip of nonstick baking parchment. Mash the bananas together in a large bowl with the orange juice.

2 Place the soft margarine, sugar and honey in the bowl and add the eggs. Sift in the flour and cinnamon, adding any bran left behind in the sieve. Beat everything together until light and fluffy and then fold in the sultanas.

3 Spoon the mixture into the prepared tin and smooth the top to make it level. Bake for about 1 hour until golden, well risen and a skewer inserted into the centre comes out clean.

4 Cool in the tin for 5 minutes, then turn out on a wire rack.

HELPFUL HINT

Soft light brown sugar should be stored in a tightly sealed container to prevent it from drying out. If it does become dry or lumpy, pound it back into crystals with the flat end of a rolling pin before you use it.

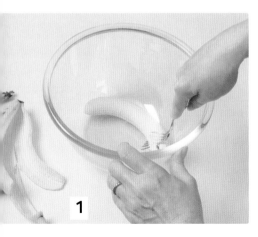

1

2

3

Chocolate Chelsea Buns

INGREDIENTS

Makes 12

75 g/3 oz dried pears, finely chopped

1 tbsp apple or orange juice

225 g/8 oz strong plain flour

1 tsp ground cinnamon

½ tsp salt

40 g/1½ oz butter

1½ tsp easy-blend dried yeast

125 ml/4 fl oz warm milk

1 medium egg, lightly beaten

75 g/3 oz plain dark chocolate, chopped

3 tbsp maple syrup

1 Preheat the oven to 190°C/375°F/Gas Mark 5, 10 minutes before baking. Lightly oil an 18 cm/7 inch square tin. Place the pears in a bowl with the fruit juice, stir then cover and leave to soak while making the dough.

2 Sift the flour, cinnamon and salt into a bowl, rub in 25 g/1 oz of the butter then stir in the yeast and make a well in the middle. Add the milk and egg and mix to a soft dough. Knead on a floured surface for 10 minutes, until smooth and elastic, then place in a bowl. Cover with clingfilm and leave in a warm place to rise for 1 hour or until doubled in size.

3 Turn out on a lightly floured surface and knead the dough lightly before rolling out to a rectangle, about 30.5 x 23 cm/12 x 9 inches. Melt the remaining butter and brush over. Spoon the pears and chocolate evenly over the dough leaving a 2.5 cm/1 inch border, then roll up tightly, starting at a long edge. Cut into 12 equal slices, then place, cut-side up in the tin. Cover and leave to rise for 25 minutes, or until doubled in size.

4 Bake on the centre shelf of the preheated oven for 30 minutes, or until well risen and golden brown. Cover with tinfoil after 20 minutes, if the filling is starting to brown too much.

5 Brush with the maple syrup while hot, then leave in the tin for 10 minutes to cool slightly. Turn out onto a wire rack and leave to cool. Separate the buns and serve warm.

TASTY TIP

As an alternative replace the pears with an equal weight of chopped hazelnuts or almonds.

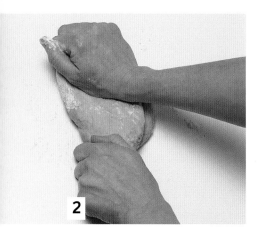

2

3

5

Chocolate Brioche Bake

INGREDIENTS

Serves 6

200 g/7 oz plain dark chocolate,
  broken into pieces
75 g/3 oz unsalted butter
225 g/8 oz brioche, sliced
1 tsp pure orange oil or 1 tbsp grated
  orange rind
½ tsp freshly grated nutmeg
3 medium eggs, beaten
25 g/1 oz golden caster sugar
600 ml/1 pint milk
cocoa powder and icing sugar
  for dusting

1 Preheat the oven to 180°C/350°F/Gas Mark 4, 10 minutes before baking. Lightly oil or butter a 1.7 litre/3 pint ovenproof dish. Melt the chocolate with 25 g/1 oz of the butter in a heatproof bowl set over a saucepan of simmering water. Stir until smooth.

2 Arrange half of the sliced brioche in the ovenproof dish, overlapping the slices slightly, then pour over half of the melted chocolate. Repeat the layers, finishing with a layer of chocolate.

3 Melt the remaining butter in a saucepan. Remove from the heat and stir in the orange oil or rind, the nutmeg and the beaten eggs. Continuing to stir, add the sugar and finally the milk. Beat thoroughly and pour over the brioche. Leave to stand for 30 minutes before baking.

4 Bake on the centre shelf in the preheated oven for 45 minutes, or until the custard is set and the topping is golden brown. Leave to stand for 5 minutes, then dust with cocoa powder and icing sugar. Serve warm.

FOOD FACT

Brioche is a type of French bread, enriched with eggs, butter and sugar. It is available as a large round loaf, as a plait or in a long loaf shape and also as individual buns. Any type is suitable for this recipe.

1

2

3

Osborne Pudding

INGREDIENTS

Serves 4

8 slices of white bread
50 g/2 oz butter
2 tbsp marmalade
50 g/2 oz luxury mixed
  dried fruit
2 tbsp fresh orange juice
40 g/1½ oz caster sugar
2 large eggs
450 ml/¾ pint milk
150 ml/¼ pint whipping cream

For the marmalade sauce:

zest and juice of 1 orange
2 tbsp thick-cut
  orange marmalade
1 tbsp brandy (optional)
2 tsp cornflour

TASTY TIP

To make an orange sauce instead, omit the marmalade and add the juice of another 3 oranges and a squeeze of lemon juice to make 250 ml/9 fl oz. Follow the recipe as before but increase the cornflour to 1½ tablespoons.

1 Preheat the oven to 170°C/325°F/Gas Mark 3. Lightly oil a 1.1 litre/ 2 pint baking dish.

2 Remove the crusts from the bread and spread thickly with butter and marmalade. Cut the bread into small triangles.

3 Place half the bread in the base of the dish and sprinkle over the dried mixed fruit, 1 tablespoon of the orange juice and half the caster sugar.

4 Top with the remaining bread and marmalade, buttered side up and pour over the remaining orange juice. Sprinkle over the remaining caster sugar.

5 Whisk the eggs with the milk and cream and pour over the pudding. Reserve for about 30 minutes to allow the bread to absorb the liquid.

6 Place in a roasting tin and pour in enough boiling water to come halfway up the sides of the dish. Bake in the preheated oven for 50–60 minutes, or until the pudding is set and the top is crisp and golden.

7 Meanwhile, make the marmalade sauce. Heat the orange zest and juice with the marmalade and brandy if using.

8 Mix 1 tablespoon of water with the cornflour and mix together well.

9 Add to the saucepan and cook on a low heat, stirring until warmed through and thickened. Serve the pudding hot with the marmalade sauce.

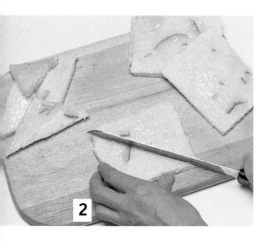

2

3

5

Fruity Chocolate Bread Pudding

INGREDIENTS

Serves 4

175 g/6 oz plain dark chocolate
1 small fruit loaf
125 g/4 oz ready-to-eat dried apricots, roughly chopped
450 ml/³⁄₄ pint single cream
300 ml/¹⁄₂ pint milk
1 tbsp caster sugar
3 medium eggs
3 tbsp demerara sugar, for sprinkling

1 Preheat the oven to 180°C/350°F/Gas Mark 4, 10 minutes before cooking. Lightly butter a shallow ovenproof dish. Break the chocolate into small pieces, then place in a heatproof bowl set over a saucepan of gently simmering water. Heat gently, stirring frequently, until the chocolate has melted and is smooth. Remove from the heat and leave for about 10 minutes or until the chocolate begins to thicken slightly.

2 Cut the fruit loaf into medium to thick slices, then spread with the melted chocolate. Leave until almost set, then cut each slice in half to form a triangle. Layer the chocolate-coated bread slices and the chopped apricots in the buttered ovenproof dish.

3 Stir the cream and the milk together, then stir in the caster sugar. Beat the eggs, then gradually beat in the cream and milk mixture. Beat thoroughly until well blended. Carefully pour over the bread slices and apricots and leave to stand for 30 minutes.

4 Sprinkle with the demerara sugar and place in a roasting tin half filled with boiling water. Cook in the preheated oven for 45 minutes, or until golden and the custard is lightly set. Serve immediately.

HELPFUL HINT

It is important to leave the pudding to stand for at least 30 minutes, as described in step 3. This allows the custard to soak into the bread – otherwise it sets around the bread as it cooks, making the pudding seem stodgy.

2

3

4

Easy Danish Pastries

INGREDIENTS

Makes 16

500 g/1 lb 2 oz strong white flour
½ tsp salt
350 g/12 oz butter
7 g sachet fast-action yeast
50 g/2 oz caster sugar
150 ml/¼ pint lukewarm milk
2 medium eggs, beaten

For the filling and topping:

225 g/8 oz ready-made almond paste
  or marzipan, grated
8 canned apricot halves, drained
1 egg, beaten
125 g/4 oz fondant icing sugar
50 g/2 oz glacé cherries
50 g/2 oz flaked almonds

HELPFUL HINT

If using marzipan, it is a good idea to freeze it for 30 minutes prior to needing it, to make grating easier.

1 Sift the flour and salt into a bowl, add 50 g/2 oz of the butter and rub in until the mixture resembles fine crumbs, then stir in the yeast and sugar. Stir in the milk and beaten eggs and mix to a soft dough. Knead by hand for 10 minutes until smooth or place in a tabletop mixer fitted with a dough hook and knead for 5 minutes. Cover with oiled clingfilm and leave for about 1 hour in a warm place or until doubled in size. Place the dough on a floured surface and knead to knock out the air for about 4 minutes until smooth. Roll out into a rectangle 20 x 35 cm/8 x 14 inches. Dot two thirds of the dough with half the remaining butter, leaving one third plain. Fold the plain third up over the buttered section, then fold the top third over this to form a square parcel. Press the edges to seal, then turn the dough, with the fold to the left. Roll out again to a rectangle and dot with the remaining butter as before. Chill for 15 minutes, then roll out and fold again. Roll, fold and chill once more.

2 Preheat the oven to 220°C/425°F/Gas Mark 7. Roll out the dough into a 55 cm/22 inch square and cut into 16 squares. Put 25 g/1 oz of the grated almond paste in the centre of each. Take eight of the squares and cut the corners almost to the middle and fold over the alternate points. Top each of the remaining squares with an apricot half and fold the opposite corners over to cover the apricots. Arrange all the pastries on buttered baking sheets and leave to rise for 20 minutes until puffy. Brush with beaten egg and bake for 15 minutes until golden. When cold, mix the fondant icing sugar with enough water to make a smooth icing. Drizzle over the pastries and place a halved cherry on the windmill shapes. Scatter the apricot-filled pastries with flaked almonds and leave to set for 30 minutes.

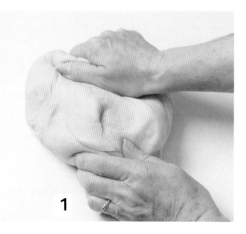

1

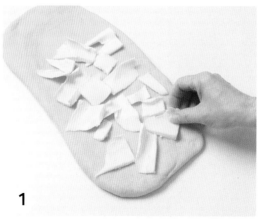

1

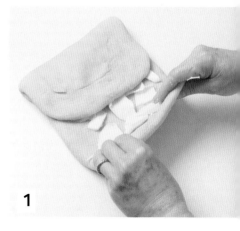

1

Bread & Butter Pudding

INGREDIENTS

Serves 4-6

2–3 tbsp unsalted butter, softened

4–6 slices white bread

75 g/3 oz mixed dried fruits

25 g/1 oz caster sugar, plus extra
   for sprinkling

2 medium eggs

450 ml/³/₄ pint semi-skimmed
   milk, warmed

freshly grated nutmeg

freshly made custard, to serve

1 Preheat the oven to 180°C/350°F/Gas Mark 4, 10 minutes before cooking. Lightly butter a 1.1 litre/2 pint ovenproof dish. Butter the bread and cut into quarters. Arrange half the bread in the dish and scatter over two-thirds of the dried fruit and sugar. Repeat the layering, finishing with the dried fruits.

2 Beat the eggs and milk together and pour over the bread and butter. Leave to stand for 30 minutes.

3 Sprinkle with the remaining sugar and a little nutmeg and carefully place in the oven. Cook for 40 minutes, or until the pudding has lightly set and the top is golden.

4 Remove and sprinkle with a little extra sugar, if liked. Serve with freshly made custard.

TASTY TIP

For a different flavour, try flavouring your own sugar, for example with vanilla. Place a vanilla pod in a screw-top jar, fill with caster sugar, screw down the lid and leave for 2–3 weeks before using. Top up with more sugar after use.

1

1

2

Step-by-Step, Practical Recipes Breads & Baking: Tips & Hints

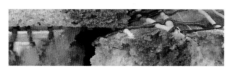

Tasty Tip

Many of the sweet recipes in this book would be delicious served with custard. To make homemade custard, pour 600ml/1 pint of milk with a few drops of vanilla essence into a saucepan and bring to the boil. Remove from the heat and allow to cool. Meanwhile, whisk 5 egg yolks and 3 tablespoons of caster sugar together in a mixing bowl until thick and pale in colour. Add the milk, stir and strain into a heavy-based saucepan. Cook the custard on a low heat, stirring constantly until you achieve the consistency of double cream. Pour over your baked pudding and serve.

Food Fact

It is possible to freeze bread dough to use another time, although you must make sure you use double the amount of dried active yeast stated in the recipe. Mix and knead the dough as normal and then wrap in foil or cling film, place in a freezer bag and store in the freezer. When you are ready to use the dough, allow it to defrost at room temperature and continue from there, beginning with the first proving.

Helpful Hint

Some recipes in this book require chocolate to be melted. When melting chocolate it is important not to overheat it or it will develop a white bloom when it resets. If melting chocolate over simmering water, make sure the bottom of the bowl is not touching the water. If using the microwave, melt in short bursts, stirring in between to ensure that melting is even.

Tasty Tip

Instead of throwing away left over or stale bread, there are several delicious ways to use it up. Why not use it as a base for a bread pudding such as the Bread & Butter Pudding included in this book? Or if you fancy something savoury simply place under a hot grill until crisp, drizzle with garlic infused olive oil and top with fresh sliced tomatoes seasoned with basil leaves, salt and pepper. Serve as a tasty snack or starter.

Helpful Hint

Freshly baked bread can be kept for one to two days in an airtight bread container at room temperature. Rolls can be kept for two days longer without drying out. You can also freeze baked bread for up to three months; when you thaw it again you may like to crisp it up in the oven before serving.

Helpful Hint

Kneading refers to pressing the heel of your hand into the dough to stretch it, and then folding back into a ball, rotating and repeating the process for a period of 10 minutes until the dough is smooth and stretchy. During the kneading process try to use as little flour as possible as it may excessively dry the mixture, instead only add flour if the dough is very wet. A touch of vegetable oil rubbed into the hands or onto the work surface can help prevent the dough from sticking during kneading.

Helpful Hint

To soften butter or margarine quickly, pour hot water in a mixing bowl to warm, leave for a few minutes, then drain and dry. Cut the butter or margarine into small pieces, add to the bowl and leave at room temperature for a short time. Do not attempt to melt in the microwave as this will make the fat oily and affect the texture of the finished cake.

Helpful Hint

When it comes to buying flour for baking you can save money by choosing the cheapest variety of white flour as the simplicity of the milling process means there is often little difference in quality regardless of brand. However, when it comes to buying wholewheat or speciality flours for baking bread it is recommended that you choose a slightly more expensive variety which will have retained more wholegrains and thus more flavour.

Helpful Hint

To check whether your bread is cooked, you should ease it out of the tin or off the baking tray and tap the bottom. If it sounds hollow, then the bread is ready. If your bread is cooked in a loaf tin, another good sign that it is cooked is if the sides have begun to shrink away from the tin.

First published in 2013 by
FLAME TREE PUBLISHING LTD
Crabtree Hall, Crabtree Lane, Fulham,
London, SW6 6TY, United Kingdom
www.flametreepublishing.com

NOTE: Recipes using uncooked eggs should be avoided by infants, the elderly, pregnant women and anyone suffering from an illness.

18 17 16 15 14 13   10 9 8 7 6 5 4 3 2 1

ISBN: 978-0-85775-863-7

ACKNOWLEDGEMENTS: Authors: Catherine Atkinson, Juliet Barker, Gina Steer, Vicki Smallwood, Carol Tennant, Mari Mererid Williams, Elizabeth Wolf-Cohen and Simone Wright. Photography: Colin Bowling, Paul Forrester and Stephen Brayne. Home Economists and Stylists: Jacqueline Bellefontaine, Mandy Phipps, Vicki Smallwood and Penny Stephens. Some props supplied by Barbara Stewart at Surfaces. Publisher and Creative Director: Nick Wells. Editorial: Catherine Taylor, Laura Bulbeck, Esme Chapman, Emma Chafer, Gina Steer and Karen Fitzpatrick. Design and Production: Chris Herbert, Mike Spender and Helen Wall.

DEALL YR HOLOCOST

Sut digwyddodd a pham?

CA3

Stuart Foster ● Andy Pearce
Eleni Karayianni ● Helen McCord

Mae llawer o bobl wedi cyfrannu at ddatblygu a chynhyrchu'r gwerslyfr hwn. Yn benodol, hoffem ddiolch i'r canlynol am eu cefnogaeth a'u harbenigedd: Roxzann Baker, Ben Barkow, Shoshana Boyd Gelfand, Amy Braier, Beth Cleall, Mary Fulbrook, Evangelos Himonides, Charlotte Lane, Tom Lawson, Trevor Pears, Josie Roberts, Paul Salmons, Toby Simpson, Dan Stone, Kirsty Taylor, Euan Wallace a Barbara Warnock.

Hoffem ddiolch hefyd i'n cydweithwyr yn UCL Centre for Holocaust Education am eu cefnogaeth a'u mewnbwn addysgol: Arthur Chapman, Andrew Copeland, Rebecca Hale, Tom Haward, Emma O'Brien, Jeff Marks, Louise Palmer, Alice Pettigrew, Corey Soper, Shazia Syed a Nicola Wetherall.

Rydym yn hynod o ddiolchgar i Ruth-Anne Lenga, Cyfarwyddwr y Rhaglen, am ei chefnogaeth wrth ddatblygu'r tudalennau sy'n canolbwyntio ar oroeswyr yr Holocost ym Mhrydain.

Mae **University College London (UCL) Centre for Holocaust Education** yn rhan o UCL Institute of Education, sef prifysgol flaenllaw'r byd ym maes addysg ar hyn o bryd. Mae'n cynnwys tîm o ymchwilwyr ac addysgwyr arbenigol. Nod y Ganolfan yw cynnig cefnogaeth o safon byd-eang, sy'n seiliedig ar ymchwil, i athrawon sy'n addysgu am yr Holocost, ac i wella gwybodaeth a dealltwriaeth myfyrwyr yn sylweddol o ran yr hanes hwn a'i arwyddocâd cyfoes. Mae tua 2,000 o athrawon yn cymryd rhan yn rhaglenni'r Ganolfan bob blwyddyn.

Mae pob un o'r pedwar awdur yn gweithio yn y Ganolfan. Yr Athro Stuart Foster yw'r Cyfarwyddwr Gweithredol; mae Dr. Andy Pearce yn Athro Cyswllt mewn Hanes ac Addysg yr Holocost; mae Dr. Eleni Karayianni yn Gymrawd Ymchwil; ac mae Helen McCord yn Uwch Gymrawd Addysgu.

HODDER EDUCATION
AN HACHETTE UK COMPANY

Deall yr Holocost yn ystod CA3: Sut digwyddodd a pham?

Addasiad Cymraeg o *Understanding the Holocaust at KS3: How and why did it happen?* a gyhoeddwyd yn 2020 gan Hodder Education

Ariennir yn Rhannol gan
Lywodraeth Cymru
Part Funded by
Welsh Government

Cyhoeddwyd dan nawdd Cynllun Adnoddau Addysgu a Dysgu CBAC

Hoffai'r Cyhoeddwyr ddiolch i'r canlynol am roi caniatâd i atgynhyrchu deunydd hawlfraint.

Cydnabyddiaeth ffotograffau

t.6 Yad Vashem Hall of Names Dep.; **t.11** *rhes 1af: ch* United States Holocaust Memorial Museum (USHMM), trwy garedigrwydd The Shtetl Foundation; *c-ch* USHMM, trwy garedigrwydd Archiwum Panstwowe w Rzeszow; *c-d* Bildarchiv Pisarek/akg-images; *d* USHMM, trwy garedigrwydd Henry Kopelman-Gidoni; *2il res: ch* USHMM, trwy garedigrwydd Jack Beraha; *c-ch* USHMM, trwy garedigrwydd Leon Rozenbaum; *c-d* USHMM, trwy garedigrwydd Norman Salsitz; *d* USHMM, trwy garedigrwydd Malvina Burstein; *3edd rhes: ch* USHMM, trwy garedigrwydd Jack Beraha; *c-ch* USHMM, trwy garedigrwydd Marilka (Mairanz) Ben Naim, Ita (Mairanz) Mond a Tuvia Mairanz; *c-d* USHMM, trwy garedigrwydd The Shtetl Foundation; *d* USHMM, trwy garedigrwydd Association for the Lithuanian Jews in Israel; *4edd rhes: ch* USHMM, trwy garedigrwydd Jacqueline Gal; *c* USHMM, trwy garedigrwydd Gabriel Albocher; *d* USHMM, trwy garedigrwydd Robert Bahr; **t.12** © Josef Mendelsohn; *d* Holocaust Center for Humanity; **t.13** *ch* © The Jewish Museum drwy Getty Images; *d* © MARTYN HAYHOW/AFP drwy Getty Images; **t.14** *ch* © Lebrecht Music / Alamy Stock Photo; *d* USHMM, trwy garedigrwydd Frances Hirshfeld; **t.15** *b* USHMM, trwy garedigrwydd Richard Oestermann; *g* USHMM, trwy garedigrwydd George Fogelson; **t.17** © Bwrdd y Llyfrgell Brydeinig. Cedwir pob hawl/Bridgeman Images; **t.18** *b-ch* Wiener Holocaust Library Collections; *g-ch* © Apic/Getty Images; *b-d* Library of Congress Prints & Photographs Division, LC-USZ62-60242; *c-d* Ar gael i'r cyhoedd: Llun: Fotograaf Onbekend/Anefo/National Archives of the Netherlands; *g-d* © History and Art Collection/Alamy Stock Photo; **t.22** *d* © Everett Collection Inc/Alamy Stock Photo; **t.23** *b* a *ch* © Bundesarchiv; *d* © INTERFOTO/Alamy Stock Photo; **t.24** *b* a *g* © Bundesarchiv; **t.25** Wiener Holocaust Library Collections; **t.26** *ch* a *d* © Sueddeutsche Zeitung Photo/Alamy Stock Photo; **t.27** Dachau Memorial (KZ-Gedenkstätte Dachau), Da A F9/8405; **t.28** *ch* NS-Documentation Centre Köln; **t.29** *b* © dpa picture alliance/Alamy Stock Photo; **t.30** USHMM, trwy garedigrwydd Waltraud ac Annemarie Kusserow; **t.31** *ch* USHMM; *d* Jean-Luc SCHWAB /https://commons.wikimedia.org/wiki/File:Rudolf_BRAZDA_-_April_15th_2009.jpg/ https://creativecommons.org/licenses/by-sa/3.0/deed.en; *g* Wiener Holocaust Library Collections; **t.32** *ch* © Marianne Bechhaus-Gerst; *d* © Bianca Stojka Davis; *g* © Sigrid Falkenstein; **t.34** *b* © Sueddeutsche Zeitung Photo/Alamy Stock Photo; *g* USHMM, trwy garedigrwydd National Archives and Records Administration, College Park; **tt.36–7** *pob llun* Wiener Holocaust Library Collections; **t.40** © World History Archive/Alamy Stock Photo; **t.41** *ch* USHMM, trwy garedigrwydd National Archives and Records Administration, College Park; *d* Universalmuseum Joanneum GmbH; **t.42** American Jewish Joint Distribution Committee; **t.46** © Photo 12/Alamy Stock Photo; **t.48** *ch* Wiener Holocaust

Library Collections; *d* Yad Vashem Photo Archive, Jerwsalem; **t.49** Archives of the YIVO Institute for Jewish Research, Efrog Newydd; **t.50** Northcliffe Collection/ANL/Shutterstock; **t.53** RIA Novosti / Sputnik / TopFoto; **t.54** Archives of the Hamburg Institute for Social Research; **t.55** *ch* © The History Collection / Alamy Stock Photo; *d* National Digital Archives of Poland (Narodowe Archiwum Cyfrowe) /Collection Koncern Ilustrowany Kurier Codzienny – Archiwum Ilustracji; **t.56** *b* USHMM/Ernst Klee Archive; **t.57** © Everett Collection Inc / Alamy Stock Photo; **t.60** © The Picture Art Collection / Alamy Stock Photo; **t.61–2** *b* Archive of Auschwitz-Birkenau State Museum; **t.62** *g* Yad Vashem Photo Archive, Jerwsalem 5683719; **t.63** akg-images / Benno Gantner; **t.64** © Sputnik / TopFoto; **t.65** *b* www.auschwitz.org; *c* © Imperial War Museum (IWM FLM 1226); *g* © Horace Abrahams/Keystone/Getty Images; **t.67** *g-ch* USHMM, trwy garedigrwydd Eliezer Zilberis; *c-d* Yad Vashem Photo Archive, Jerwsalem 37GO4; *g-d* USHMM, trwy garedigrwydd Casgliad Ffotograffig Leopold Page; **t.68** *b* Yad Vashem Photo Archive, Jerwsalem 39262; *c* a *g* E. Ringelblum Jewish Historical Institute, Warszawa, Gwlad Pwyl; **t.70** US National Archives and Records Administration, 238-NT-282; **t.71** *ch* Ghetto Fighters' House, Israel, archif ffotograffau; *d* Yad Vashem Photo Archive, Jerwsalem 4613/664; **t.72** © Bundesarchiv; **t.73** *ch* USHMM, trwy garedigrwydd Saulius Berzinis; *d* USHMM, trwy garedigrwydd Instytut Pamieci Narodowej; *g* © Bundesarchiv; **t.74** *ch* US National Archives; *d* © Sueddeutsche Zeitung Photo / Alamy Stock Photo; *g* USHMM, trwy garedigrwydd Michael O'Hara; **t.75** *ch* © Bundesarchiv; *d* Bildarchiv Preussischer Kulturbesitz; *g* © United Archives GmbH / Alamy Stock Photo; **t.77** *b* a *g* The Museum of Danish Resistance 1940–1945; **t.78** Righteous Collection, Yad Vashem; **t.79** *ch* a *d* Yad Vashem Photo Archive, Jerwsalem 28163 (*ch*) a 26621 (*d*); **t.82** *ch* USHMM, trwy garedigrwydd National Archives and Records Administration, College Park; *d* The Bernard Simon Estate, Wiener Holocaust Library Collections; *g* USHMM, trwy garedigrwydd Erica a Joseph Grossman; **t.83** *ch* © hawlfraint y Goron 2015; *d* © Leicester University Press, defnyddiwyd gyda chaniatâd Bloomsbury Publishing Plc; *g* Tzahy Lerner/ https://commons.wikimedia.org/wiki/ File:Yehuda_Bauer_1.jpg; **t.85** *ch* Yad Vashem Photo Archive, Jerwsalem 3488/18; *c* Christian Herrmann; *d* © John Warburton-Lee Photography / Alamy Stock Photo; **t.87** Yad Vashem Photo Archive, Jerwsalem FA180/46; **t.88** USHMM, trwy garedigrwydd Willy Fogel; **t.89** *b* USHMM, trwy garedigrwydd Nordico Museum Der Stadt Linz; *g* USHMM, trwy garedigrwydd Bernard Marks; **t.91** © Ian Waldie/Getty Images; **t.92** © Volgi archive / Alamy Stock Photo; **t.93** © Bettmann/Getty Images.

Cydnabyddiaeth testun

t.13 'Glimpses of life before the Holocaust', Yad Vashem; **tt.14–15** Archif Sain y Llyfrgell Brydeinig; **t.19** *b* a *g* 'Why did people hate us?', Imperial War Museum; **t.28** *b* Melita Maschmann, *Account Rendered: A Dossier on my Former Self*; **t.36** *b* 'From Citizens to Outcasts', USHMM; *g* 'Jewish life in Germany', Yad Vashem; **t.41** *b* 'Kristallnacht in a small German town', Yad Vashem; *g* Wiener Library; **t.48** *b* 'Everyday life in a Warsaw Ghetto', Yad Vashem; *g* Dyddiadur Pepa Bergman, Yad Vashem; **t.57** 'Chelmno – A Testimony', Yad Vashem; **t.64** *ch* a *d* 'The Death Marches January–May 1945', Yehuda Bauher, *Modern Judaism – A Journal of Jewish Ideas and Experience*, 3, 1, 1983; **t.77** 'The Holocaust and Collective Memory in Scandinavia: the Danish case', Karl Christian Lammers, *Scandinavian Journal of History*, 36, 5, 2011; **t.78** Norman H. Gershman, *Besa: Muslims Who Saved Jews During WWII*; **t.87** Yitzchak Zuckerman, *The Exodus from Poland*, Ghetto Fighters' House; **t.91** *d* © Leon Greenman, defnyddiwyd gyda chaniatâd Ruth-Anne Lenga; **t.93** Mary Fulbrook, *Reckonings: Legacies of Nazi Persecution and the Quest for Justice*.

Cynnwys

Cydnabyddiaethau

Gwnaed pob ymdrech i gysylltu â'r holl ddeiliaid hawlfraint, ond os oes unrhyw rai wedi'u hesgeuluso'n anfwriadol, bydd y cyhoeddwyr yn falch o wneud y trefniadau angenrheidiol ar y cyfle cyntaf.

Er y gwnaed pob ymdrech i sicrhau bod cyfeiriadau gwefannau yn gywir adeg mynd i'r wasg, nid yw Hodder Education yn gyfrifol am gynnwys unrhyw wefan y cyfeirir ati yn y llyfr hwn. Weithiau mae'n bosibl dod o hyd i dudalen we a adleolwyd trwy deipio cyfeiriad tudalen gartref gwefan yn ffenestr LlAU (URL) eich porwr.

Polisi Hachette UK yw defnyddio papurau sy'n gynhyrchion naturiol, adnewyddadwy ac ailgylchadwy o goed a dyfwyd mewn coedwigoedd cynaliadwy. Disgwylir i'r prosesau torri coed a gweithgynhyrchu gydymffurfio â rheoliadau amgylcheddol y wlad y mae'r cynnyrch yn tarddu ohoni.

Archebion: cysylltwch â Bookpoint Ltd, 130 Park Drive, Milton Park, Abingdon, Oxon OX14 4SE. Ffôn: +44 (0)1235 827827. Ffacs: +44 (0)1235 400401. E-bost: education@bookpoint.co.uk. Mae llinellau ar agor rhwng 9.00 a 17.00 o ddydd Llun i ddydd Sadwrn, gyda gwasanaeth ateb negeseuon 24 awr. Gallwch hefyd archebu trwy wefan Hodder Education: www.hoddereducation.co.uk.

ISBN: 9781398348929

© Stuart Foster, Andy Pearce, Eleni Karayianni, Helen McCord 2020 (Yr argraffiad Saesneg)

Cyhoeddwyd gyntaf yn 2020 gan Hodder Education, an Hachette UK Company, Carmelite House, 50 Victoria Embankment, London EC4Y 0DZ

www.hoddereducation.co.uk

© CBAC 2021 (Yr argraffiad Cymraeg hwn ar gyfer CBAC)

Rhif yr argraffiad 10 9 8 7 6 5 4 3 2 1

Blwyddyn 2025 2024 2023 2022 2021

Llun y clawr gan United States Holocaust Memorial Museum drwy garedigrwydd George Pick

Lluniau gan Chris Bladon Design

Teiposodwyd yn India gan Aptara Inc.

Argraffwyd yn yr Eidal

Mae cofnod catalog y teitl hwn ar gael gan y Llyfrgell Brydeinig.

Mae'r gwerslyfr hwn wedi'i rannu yn chwech uned. Mae pob uned yn cynnwys penodau. Mae pob uned yn ymdrin â chyfnod amser penodol, gyda thema gyffredinol. Mae'r unedau yn dechrau gyda throsolwg un tudalen o hyd. Bydd y trosolwg hwn yn amlinellu'r canlynol:

Pa wybodaeth a dealltwriaeth allweddol byddwch chi'n eu datblygu yn yr uned hon.

Sut byddwch chi'n gwella eich dealltwriaeth drwy weithio gyda syniadau a chysyniadau hanesyddol.

Pa faterion allweddol gallech chi eu trafod.

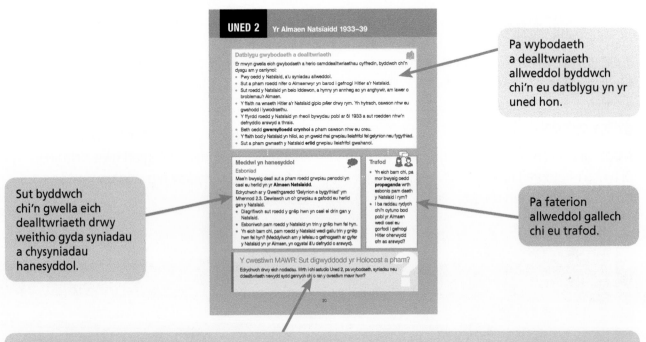

Sut digwyddodd yr Holocost a pham?

Dydy'r ddau gwestiwn pwysig hyn ddim yr un peth, ond mae cysylltiad agos rhyngddyn nhw. Nod y gwerslyfr hwn yw eich helpu chi i ateb y ddau gwestiwn. Mae'n gwneud hyn drwy eu trin fel 'y cwestiwn MAWR'. Wrth i chi ddarllen drwy bob pennod ac uned, byddwch chi'n meithrin eich gwybodaeth a'ch dealltwriaeth o'r Holocost. Bydd hyn yn eich galluogi chi i ateb 'y cwestiwn MAWR', sef sut a pham, mewn ffordd fwy manwl a phwerus. Cofiwch ddod yn ôl at 'y cwestiwn MAWR' ar ddiwedd pob uned.

Penodau

Mae pob pennod yn canolbwyntio ar gwestiwn ymholiad penodol, ac yn cynnwys y wybodaeth mae ei hangen arnoch chi i archwilio ac ateb y cwestiwn hwn. Mae'r penodau hefyd yn cynnwys adrannau 'Rhywbeth i'w ystyried' a 'Gweithgareddau'. Bydd y rhain yn canolbwyntio ar y pethau rydych chi wedi bod yn dysgu amdanyn nhw yn y bennod. Byddan nhw'n helpu i atgyfnerthu beth rydych chi'n ei wybod a gwella eich dealltwriaeth, ac yn eich cefnogi chi wrth i chi fyfyrio ar beth rydych chi wedi ei ddysgu.

Gwirio gwybodaeth ar lein

Drwyddi draw yn y llyfr, byddwch yn cael eich annog i fynd ar lein i wirio eich gwybodaeth eich hun ar wefan UCL Centre for Holocaust Education.

Geiriau allweddol

Byddwch chi'n gweld geiriau allweddol yn y testun mewn **print trwm**. Mae Geirfa ar gael yng nghefn y llyfr er mwyn i chi weld beth yw ystyr y geiriau hyn.

Y teulu Pitel

Edrychwch yn ofalus ar y 26 o bobl yn Ffigur 0.1. Mae'r ffotograff yn dangos aelodau o deulu Iddewig mawr a oedd yn byw mewn tref fach yn nwyrain Gwlad Pwyl. Cafodd ei dynnu yn 1938, flwyddyn cyn i'r Ail Ryfel Byd ddechrau. Meddyliwch am y bywyd y gallai'r bobl hyn fod wedi'i fyw, eu gobeithion a'u breuddwydion ar gyfer y dyfodol.

Mae'n anodd credu, ond pum mlynedd ar ôl tynnu'r ffotograff roedd pawb wedi cael ei lofruddio, heblaw am un dyn.

Yr unig berson wnaeth oroesi ar ôl 1943 oedd Yosef Pitel (y dyn pellaf ar y dde). Llwyddodd i oroesi oherwydd iddo adael Gwlad Pwyl yn fuan ar ôl tynnu'r ffotograff. Aeth i ddechrau bywyd newydd dros fil o filltiroedd i ffwrdd mewn gwlad sydd bellach yn cael ei galw'n **Israel**.

Yn 1938, doedd gan Yosef ddim syniad pa mor werthfawr y byddai'r ffotograff hwn iddo yn y dyfodol – ac na fyddai'n gweld unrhyw aelod o'i deulu byth eto.

Ffigur 0.1 Y teulu Pitel.

Tynged y teulu Pitel

Ym mis Medi 1939, gwnaeth **yr Almaen Natsïaidd** oresgyn Gwlad Pwyl. Erbyn 1943, roedd pob aelod o'r teulu Pitel, heblaw am Yosef, wedi cael ei ladd. Bu farw rhai ohonyn nhw mewn **getos**, cafodd eraill eu lladd â nwy mewn **gwersyll marwolaeth** Natsïaidd. Cafodd miliynau o bobl eraill ddiniwed, tebyg iddyn nhw, eu llofruddio oherwydd eu bod yn Iddewon. Yr enw ar y lladd torfol hwn yw'r Holocost.

Yn y llyfr hwn, byddwch chi'n dysgu am yr Holocost a sut a pham cafodd y teulu Pitel a miliynau o ddioddefwyr eraill eu lladd gan y Natsïaid a'u **cydweithredwyr**.

Beth oedd yr Holocost?

Daeth Adolf Hitler a'r Natsïaid i rym yn yr Almaen yn 1933. Rhwng 1933 ac 1939, roedd Iddewon yn yr Almaen yn wynebu **gwahaniaethu a rhagfarn** difrifol a chafodd rhai ohonyn nhw eu lladd. Fodd bynnag, cafodd tua chwe miliwn o Iddewon ar draws Ewrop eu lladd yn ystod yr Ail Ryfel Byd (1939–1945).

Roedd ar y Natsïaid a'u cydweithredwyr eisiau dinistrio bywyd Iddewig yn Ewrop yn llwyr, ac o ganlyniad, dioddef **hil-laddiad** oedd ffawd yr Iddewon. Ystyr hil-laddiad yw unrhyw weithred sy'n cael ei chyflawni gyda'r bwriad o ddinistrio grŵp cenedlaethol, ethnig, hiliol neu grefyddol yn llwyr neu'n rhannol. Daeth y lladd i ben pan gafodd yr Almaen Natsïaidd a'i **chynghreiriaid** eu trechu yn 1945. Ond erbyn hynny, roedd dau o bob tri o'r Iddewon a oedd yn byw yn Ewrop cyn y rhyfel wedi cael eu lladd, gan gynnwys tua 90 y cant o'r holl blant Iddewig. Os edrychwch chi'n ofalus ar y map ar dudalennau 8–9, gallwch chi weld pa mor ddifrifol oedd y sefyllfa, a faint o lofruddiaethau ddigwyddodd mewn gwledydd ledled Ewrop.

Erledigaeth, llofruddiaeth, hil-laddiad

Yn ystod y cyfnod hwn, roedd pobl **Roma a Sinti** (sydd weithiau'n cael eu galw'n 'Sipsiwn') yn wynebu gwahaniaethu difrifol a thriniaeth greulon hefyd, ac yn cael eu carcharu ar y cyd â'r Iddewon yng ngwersylloedd y Natsïaid. Yn ôl yr amcangyfrif, cafodd 500,000 o bobl Roma a Sinti eu llofruddio yn ystod yr Ail Ryfel Byd, felly dioddef hil-laddiad oedd eu ffawd nhw hefyd.

Gwnaeth llawer o grwpiau eraill ddioddef o dan y Natsïaid a'u cydweithredwyr hefyd. Roedd y rhain yn cynnwys pobl anabl, dynion hoyw, **Tystion Jehofa, gwrthwynebwyr gwleidyddol**, dinasyddion Gwlad Pwyl a'r Undeb Sofietaidd, a charcharorion rhyfel o'r Undeb Sofietaidd.

Y cwestiwn MAWR: Sut digwyddodd yr Holocost a pham?

Cyn i chi ddechrau gweithio drwy'r uned gyntaf, ysgrifennwch unrhyw syniadau sydd gennych chi am sut digwyddodd yr Holocost, a pham.

Gwlad	Y boblogaeth Iddewig (tua 1933) mewn gwledydd a gafodd eu rheoli neu eu meddiannu gan y Natsïaid
Albania	200
Awstria	191,000
Bwlgaria	48,500
Denmarc	5,700
Estonia	4,560
Ffrainc	250,000
Groeg	73,000
Gwlad Belg	60,000
Gwlad Pwyl	3,000,000
Hwngari	445,000
Iwgoslafia	68,000
Latvia	95,600
Lithuania	155,000
Luxembourg	2,200
Norwy	1,400
Românïa	756,000
Tsiecoslofacia	357,000
Y Ffindir	1,800
Yr Almaen	525,000
Yr Eidal	48,000
Yr Iseldiroedd	156,000
Yr Undeb Sofietaidd	2,525,000

Gwlad	Y boblogaeth Iddewig (tua 1933) mewn gwledydd na chawson nhw eu meddiannu gan y Natsïaid
Iwerddon	3,600
Portiwgal	1,200
Prydain Fawr	300,000
Sbaen	4,000
Sweden	6,700
Y Swistir	18,000

Ffigur 0.2 Nifer yr Iddewon a gafodd eu llofruddio yn yr Holocost, fesul gwlad

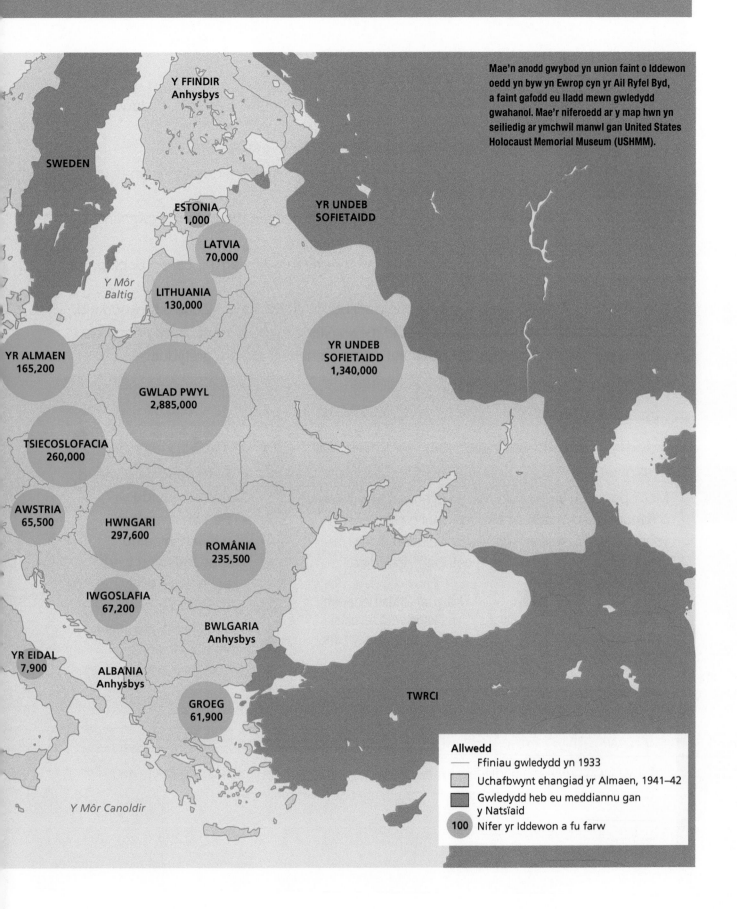

Mae'n anodd gwybod yn union faint o Iddewon oedd yn byw yn Ewrop cyn yr Ail Ryfel Byd, a faint gafodd eu lladd mewn gwledydd gwahanol. Mae'r niferoedd ar y map hwn yn seiliedig ar ymchwil manwl gan United States Holocaust Memorial Museum (USHMM).

Y FFINDIR
Anhysbys

SWEDEN

Y Môr Baltig

ESTONIA
1,000

YR UNDEB SOFIETAIDD

LATVIA
70,000

LITHUANIA
130,000

YR ALMAEN
165,200

GWLAD PWYL
2,885,000

YR UNDEB SOFIETAIDD
1,340,000

TSIECOSLOFACIA
260,000

AWSTRIA
65,500

HWNGARI
297,600

ROMÂNIA
235,500

IWGOSLAFIA
67,200

BWLGARIA
Anhysbys

YR EIDAL
7,900

ALBANIA
Anhysbys

GROEG
61,900

TWRCI

Y Môr Canoldir

Allwedd
— Ffiniau gwledydd yn 1933
Uchafbwynt ehangiad yr Almaen, 1941–42
Gwledydd heb eu meddiannu gan y Natsïaid
100 Nifer yr Iddewon a fu farw

9

Datblygu gwybodaeth a dealltwriaeth

Er mwyn gwella eich gwybodaeth a herio camddealltwriaethau cyffredin, byddwch chi'n dysgu am y canlynol:

- Cyn yr Holocost, roedd Iddewon yn byw mewn gwledydd ledled Ewrop.
- Roedd Iddewon yn cael eu cyflogi ym mhob math o swyddi, a doedd y rhan fwyaf ohonyn nhw ddim yn gyfoethog.
- Roedd Iddewon yn cyfrannu at eu cymunedau a'u gwledydd mewn ffyrdd gwahanol.
- Roedd gan Iddewon sawl cred a hunaniaeth wahanol.
- Roedd yr Iddewon yn lleiafrif bach iawn yn yr Almaen – llai nag 1 y cant o boblogaeth yr Almaen.
- Y ffaith bod **rhagfarn** yn erbyn Iddewon wedi bodoli yn Ewrop am 2,000 o flynyddoedd.
- Y ffaith bod Iddewon wedi cael eu **herlid** mewn nifer o ffyrdd gwahanol drwy'r oesoedd.
- Beth yw ystyr **gwrth-Semitiaeth** a sut mae'n wahanol i ragfarn grefyddol.

Meddwl yn hanesyddol

Tystiolaeth

Mae'r penodau yn yr uned hon yn cynnwys amrywiaeth o ffynonellau cynradd ac eilaidd – rhai gweledol ac ysgrifenedig. Dewiswch un o'r gosodiadau isod a chwiliwch am dystiolaeth sy'n cefnogi'r gosodiad.

Gosodiad 1: Roedd bywyd Iddewig yn Ewrop cyn yr Ail Ryfel Byd yn amrywiol.

Gosodiad 2: Mae Iddewon yn Ewrop wedi wynebu rhagfarn yn eu herbyn ers amser maith.

Trafod

- Beth oedd yn gwneud rhywun yn Iddew?
- Pa fath o ragfarn a gwahaniaethu mae Iddewon wedi ei wynebu drwy'r oesoedd?
- Ydy gwrth-Semitiaeth yn dal i fodoli?

Y cwestiwn MAWR: Sut digwyddodd yr Holocost a pham?

Edrychwch drwy eich nodiadau. Wrth i chi astudio Uned 1, pa wybodaeth, syniadau neu ddealltwriaeth newydd sydd gennych chi o ran y cwestiwn mawr hwn?

1.1 Pwy oedd Iddewon Ewrop cyn yr Ail Ryfel Byd?

Gweithgareddau

1 Edrychwch ar y ffotograffau ar y dudalen hon. Beth mae'r delweddau hyn yn ei ddweud wrthym ni am Iddewon a oedd yn byw yn Ewrop cyn yr Ail Ryfel Byd?

2 Ar y ddwy dudalen nesaf, byddwch chi'n darllen am bedwar unigolyn: Julius, Laura, Leon ac Esther. Edrychwch unwaith eto ar y map ar dudalennau 8–9 a chwiliwch am y gwledydd lle roedden nhw'n byw.

3 Beth gallwn ni ei ddysgu am 'hunaniaeth Iddewig' o'r astudiaethau achos unigol hyn?

Iddewon ar draws Ewrop

FFEITHIAU AC YSTADEGAU

Iddewon yn Ewrop yn 1933

- Yn 1933, roedd 9.5 miliwn o Iddewon yn byw yn Ewrop.

- Roedd Iddewon wedi byw yn Ewrop am dros 2,000 o flynyddoedd.

- Roedd cymunedau Iddewig ym mhob gwlad yn Ewrop.

- Roedd mwy o Iddewon yn byw yn nwyrain Ewrop nag yn y gorllewin. Roedd y rhan fwyaf ohonyn nhw yn byw yng Ngwlad Pwyl, yr Undeb Sofietaidd a România.

- Doedd y rhan fwyaf o Iddewon ddim yn gyfoethog.

- Roedd llawer ohonyn nhw'n gweithio ym myd masnach a busnes, ond roedd Iddewon yn gwneud pob math o swyddi.

- Doedd pob Iddew ddim yn grefyddol, a doedd pob Iddew crefyddol ddim yn credu'r un peth.

- Roedd y mwyafrif ohonyn nhw'n teimlo'n angerddol iawn dros y wlad roedden nhw'n byw ynddi.

Julius Paltiel

Cafodd Julius ei eni yn Trondheim, Norwy, yn 1924. Roedd ei daid wedi ymgartrefu yn Norwy yn yr 1880au. Pan oedd Julius yn ifanc, roedd tua 250 o Iddewon yn byw yn ninas Trondheim.

Roedd rhieni Julius yn rhedeg siop ddillad ac roedd y teulu yn byw uwchben y siop. Cafodd blentyndod hapus iawn. Roedd wrth ei fodd â chwaraeon, a phan oedd yn 15 oed, cafodd ei wneud yn rheolwr yn siop y teulu.

Laura Varon

Cafodd Laura ei geni yn 1926. Cyn yr Ail Ryfel Byd, roedd Laura yn byw gyda'i theulu ar ynys Rodos, Groeg. Roedd teulu ei thad yn dod o Twrci a theulu ei mam o Sbaen. Roedd Iddewon wedi byw ar yr ynys am dros 2,000 o flynyddoedd. Yn yr 1930au, roedd tua chwarter poblogaeth yr ynys yn Iddewon.

Cydnabyddiaeth ffotograff: Holocaust Center for Humanity

Roedd teulu Laura yn **Iddewon Uniongred**. Roedden nhw'n cymryd rhan mewn defodau ac arferion penodol. Roedd Laura wrth ei bodd yn gwrando ar ei thad yn adrodd straeon bob nos Sadwrn.

Leon Greenman

Cafodd Leon ei eni yn Stepney Green, Llundain, yn 1910. Roedd ei fam, a fu farw pan oedd Leon yn ddwy oed, yn dod o deulu o Iddewon o Rwsia. Roedd rhieni ei dad yn dod o Rotterdam yn yr Iseldiroedd.

Treuliodd Leon lawer o'i blentyndod yn yr Iseldiroedd.

Yn yr 1920au, aeth Leon yn ôl i Lundain i hyfforddi fel dyn trin gwallt. Doedd Leon ddim yn grefyddol, ac roedd yn well ganddo dreulio ei amser yn bocsio ac yn canu. Priododd Leon ag Else yn 1935. Gwnaethon nhw benderfynu byw yn Rotterdam.

Esther Brunstein

Cafodd Esther ei geni yn 1928, ac roedd hi'n byw yn Łódz´, Gwlad Pwyl. Dinas ddiwydiannol fawr oedd Łódz´, ac roedd tua un o bob tri o'r boblogaeth yn Iddewon.

Roedd tad Esther yn gweithio fel gwehydd mewn ffatri. Roedd ei rhieni yn weithgar ym myd gwleidyddiaeth. Roedden nhw'n aelodau o'r *Bund* – mudiad gwleidyddol a oedd yn ymwneud yn benodol â bywydau gweithwyr. Roedd cartref Esther yn un hapus, a chafodd ei dylanwadu gan gredoau ei rhieni a'i haddysg. Roedd ganddi ymdeimlad cryf o fod yn Iddew ac yn Bwyles.

Iddewon yn Ewrop cyn yr Ail Ryfel Byd

Mae Iddewon wedi byw yn Ewrop am dros 2,000 o flynyddoedd. Drwy gydol yr amser hwn, roedd Iddewon yn gwneud cyfraniad enfawr at y gwledydd a'r cymunedau roedden nhw'n byw ynddyn nhw.

Roedd y ffordd roedd Iddewon yn byw cyn yr Ail Ryfel Byd, a'r ffordd roedden nhw'n gweld y byd, yn amrywio o le i le. I lawer o Iddewon yn Ewrop, dim ond un rhan o'u hunaniaeth oedd bod yn Iddew. Gallai Iddew gael llawer o syniadau, diddordebau a chredoau gwahanol – yn union fel pawb arall. A gallai'r hyn roedd Iddew yn ei feddwl neu'n ei gredu newid dros amser. Er enghraifft, o'r ddeunawfed ganrif ymlaen, daeth hunaniaeth genedlaethol (fel bod yn Brydeinig, yn Ffrengig, neu'n Almaenig) yn bwysig iawn

i lawer o Iddewon. Byddwch chi'n dysgu rhagor am brofiadau Iddewon ar y tudalennau nesaf.

Ffynhonnell 1.1

Roedd mwy nag un ffordd o fod yn Iddew – roedd rhai yn bobl draddodiadol a rhai eraill yn fodern, rhai yn uniongred ac eraill yn flaengar. Roedd rhai yn enillwyr Gwobr Nobel, ac eraill yn deilwriaid ac yn fasnachwyr. Roedd rhai yn gyfoethog, a rhai eraill mor dlawd doedden nhw ddim yn gallu fforddio prynu esgidiau i'w plant yn y gaeaf. Roedden nhw'n mynd i ysgolion crefyddol, roedden nhw'n gweddïo, ac roedden nhw'n parchu'r traddodiad Iddewig a ddechreuodd 2,000 o flynyddoedd yn ôl. Ond roedden nhw hefyd yn mynd i'r sinema, yn cymryd rhan mewn chwaraeon ac yn dawnsio'r Tango. Roedden nhw'n cwympo mewn cariad ac yn cael hwyl. Roedden nhw'n mwynhau bywydau prysur ac yn edrych ymlaen at y dyfodol.

Sheryl Silver Ochayon, addysgwr yr Holocost

Ffyrdd o fyw yn nwyrain Ewrop

Yn rhannau o ddwyrain Ewrop ar ddechrau'r ugeinfed ganrif, symudodd nifer cynyddol o Iddewon i drefi a dinasoedd mawr. Er enghraifft, roedd 350,000 o Iddewon yn byw yn Warszawa (Gwlad Pwyl) cyn yr Ail Ryfel Byd, roedd 200,000 yn byw yn Budapest (Hwngari) a 140,500 yn byw yn Kiev (Ukrain). Fodd bynnag, i filiynau o Iddewon, doedd bywyd ddim wedi newid rhyw lawer ers can mlynedd a mwy. Roedd y rhan fwyaf o Iddewon yn dal i fyw mewn **shtetl**. Roedd bywyd mewn *shtetl* yn tueddu i fod yn draddodiadol: roedd pobl yn siarad **Iddew-Almaeneg** ac roedd arferion crefyddol a diwylliannol yn bwysig iawn. Roedd pobl mewn *shtetl* yn gwneud pob math o swyddi. Roedd rhai yn fwy cefnog nag eraill, ond roedd y rhan fwyaf yn dlawd ac roedd bywyd yn galed.

Ffynhonnell 1.2

Cefais fy ngeni yn 1930 yn Ukrain. Roedden ni'n gymuned grefyddol iawn. Bob bore am 6 o'r gloch roedd rhaid i mi fynd i'r synagog. Yna i'r Cheder [ysgol grefyddol] rhwng 6 ac 8. Rhwng 8 o'r gloch a 4 o'r gloch, roeddwn yn mynd i ysgol y wladwriaeth. [Yna] i Cheder rhwng tua hanner awr wedi 4, tan amser gweddïau'r prynhawn. Mynd adref a chael pryd o fwyd yna nôl i Cheder tan 9 neu hanner awr wedi 9 yn y nos. Ac roedd hyn yn digwydd yn ystod yr haf a'r gaeaf.

O dystiolaeth Josef Perl

Ffigur 1.1 Chelm, *shtetl* Iddewig, dwyrain Gwlad Pwyl, tua 1916–18.

Ffigur 1.2 Teulu Iddewig yn cerdded i lawr y stryd yn Kalisz, Gwlad Pwyl, 16 Mai 1935.

Ffyrdd o fyw yng ngorllewin Ewrop

Roedd bywyd Iddewig yng ngorllewin Ewrop yn aml yn wahanol. Er enghraifft, doedd dim *shtetls* yn y gwledydd hyn. Mewn gwledydd fel Prydain, Ffrainc a'r Almaen, roedd y rhan fwyaf o Iddewon yn byw ochr yn ochr â phobl nad oedden nhw'n Iddewon, mewn trefi a dinasoedd mawr. Yn rhannol oherwydd hyn, roedd cymunedau Iddewig yn y gorllewin yn aml yn llai traddodiadol na'r rhai yn y dwyrain.

Ffynhonnell 1.3

Cefais fy ngeni yn un o faestrefi Paris yn 1910. Roedd fy nhad yn athro yn yr [ysgol uwchradd]. Doedden ni ddim yn byw mewn cymuned Iddewig … Doedd fy nhaid – tad fy nhad – ddim yn grefyddol o gwbl. Roedd rhieni fy mam, yn enwedig ei mam hi, yn grefyddol dros ben. Roeddwn yn ymwybodol o fy hunaniaeth Iddewig gan fod fy nain yn fenyw mor dduwiol a chrefyddol. [Pan fyddai hi'n dod i aros] roedd braidd yn anodd oherwydd doedd fy nhad ddim eisiau i grefydd ymyrryd â'n bywyd bob dydd ni. Wrth gwrs, roedd rhaid i ni newid y fwydlen [y pethau roedden ni'n eu bwyta]. Ac aros nes ei bod hi wedi gorffen ei gweddïau, ond dyna'r cyfan.

O dystiolaeth Claudette Kennedy

Ffigur 1.3 Plant y teulu Oestermann yn ymlacio ar draeth yn Denmarc, 1936.

Iddewon yr Almaen

Mewn gwlad o 67 miliwn o bobl, roedd Iddewon yr Almaen yn lleiafrif bach iawn. Roedden nhw'n cyfrif am lai nag 1 y cant o'r boblogaeth – 525,000 o bobl yn unig. Dros y canrifoedd blaenorol, roedd llawer o Iddewon wedi symud i'r Almaen, yn rhannol i ddianc rhag rhagfarn ac erledigaeth mewn mannau eraill. Erbyn yr 1930au, roedd Iddewon yr Almaen wedi **cymathu** i raddau helaeth iawn.

Roedd y rhan fwyaf o Iddewon yn ystyried eu hunain yn Almaenwyr, ac yn falch iawn o hynny. Yn wir, gwnaeth tua 100,000 o ddynion Iddewig o'r Almaen wasanaethu ym myddin yr Almaen yn ystod y Rhyfel Byd Cyntaf. Cafodd tua 12,000 eu lladd yn y rhyfel, a chafodd 30,000 fedalau am eu dewrder.

Er bod crefydd yn dal i fod yn bwysig i lawer o Iddewon, roedd llawer iawn ohonyn nhw naill ai ddim yn grefyddol o gwbl, neu'n arddel credoau llai traddodiadol. Er bod rhai Iddewon yn dal i fyw mewn trefi a phentrefi, roedd y rhan fwyaf wedi ymgartrefu mewn dinasoedd. Roedd y

dynion a'r menywod hyn yn gweithio mewn amrywiaeth o swyddi. Roedd llawer ohonyn nhw yn athrawon, yn feddygon, neu'n gweithio yn y celfyddydau neu ym myd busnes.

Ffigur 1.4 Tair chwaer Iddewig yn chwarae gyda sled yn Tiergarten Berlin, 1929.

Rhywbeth i'w ystyried

Ym mha ffyrdd roedd 'hunaniaethau Iddewig' yn wahanol i'w gilydd?

1.2 Pa ragfarn roedd Iddewon yn ei hwynebu?

Doedd bywyd ddim bob amser yn hawdd i Iddewon. Am gyfnodau hir o amser, roedd Iddewon ledled Ewrop yn cael eu trin yn wahanol gan eu cymdogion nad oedden nhw'n Iddewig. Roedd hyd yn oed ymosodiadau treisgar yn erbyn Iddewon weithiau.

Mae'r rhesymau dros yr elyniaeth hon yn gymhleth, ac yn mynd yn ôl 2,000 o flynyddoedd i gyfnod y Rhufeiniaid. Newidiodd y berthynas rhwng yr Iddewon a'r Rhufeiniaid wrth i'r Ymerodraeth Rufeinig dyfu. Daeth Cristnogaeth yn grefydd swyddogol yr Ymerodraeth yn y bedwaredd ganrif. Roedd Iddewiaeth, felly, yn grefydd a oedd yn cystadlu â Christnogaeth. Roedd rhai Cristnogion cynnar yn honni, a hynny yn anghywir, bod yr Iddewon wedi lladd Iesu.

Erbyn y flwyddyn 1000 OCC, roedd bron iawn pawb yn Ewrop yn Gristnogion. Daeth Iddewon, nad oedden nhw'n rhannu credoau Cristnogol, yn darged ar gyfer erledigaeth greulon. Lledaenodd y celwyddau am yr Iddewon, a chawson nhw eu **diawleiddio** (*demonise*) a'u beio ar gam am argyfyngau fel plâu. Daethon nhw yn **fwch dihangol** (*scapegoat*) ar gyfer problemau pobl.

Gwnaeth rheolwyr gwledydd gwahanol basio deddfau a oedd yn annheg tuag at Iddewon. Roedd y rhain yn cynnwys atal Iddewon rhag gwneud swyddi penodol, neu eu gorfodi i fyw mewn **getos**, ar wahân i bobl nad oedden nhw'n Iddewon. Roedd Iddewon yn aml yn cael eu gorfodi i wisgo hetiau, bathodynnau neu ddillad penodol i ddangos eu bod nhw'n Iddewon.

Ar sawl achlysur drwy'r oesoedd, cafodd Iddewon eu gorfodi i adael eu gwlad. Bob tro roedden nhw'n cael eu **halltudio** (*expel*), roedd rhaid iddyn nhw ddod o hyd i rywle arall i gyfanheddu (*settle*). Arweiniodd hyn at symudiad mawr o **ffoaduriaid** Iddewig ledled Ewrop a thu hwnt. Wrth i Gristnogaeth ledaenu ar draws y byd, roedd yn anodd i'r Iddewon ddod o hyd i le croesawgar i fyw.

Bywyd Iddewig yn Lloegr yn yr Oesoedd Canol

Dydyn ni ddim yn gwybod pryd daeth yr Iddewon cyntaf i Loegr. Fodd bynnag, ar ôl iddo ddod yn Frenin yn 1066, gwnaeth Gwilym Goncwerwr annog Iddewon i gyfanheddu yn y wlad. Roedd y Brenin yn barod i amddiffyn yr Iddewon.

Yn yr 1100au, newidiodd bywyd Iddewon yn Lloegr. Dechreuodd Iddewon gael eu cyhuddo ar gam o lofruddio plant Cristnogol, a thyfodd ymdeimlad gwrth-Iddewig. Dechreuodd trais yn erbyn Iddewon ledaenu ar draws y wlad. Roedd un o'r achosion gwaethaf yn Efrog yn 1190, pan fu farw tua 150 o Iddewon ar ôl cael eu dal mewn tŵr.

Am tua can mlynedd wedi hynny, cafodd Iddewon yn Lloegr eu herlid fwy a mwy. Yn y pen draw, yn 1290, rhoddodd y Brenin Edward I orchymyn i'r holl Iddewon adael y wlad. Lloegr oedd y wlad gyntaf yn Ewrop i alltudio Iddewon. Roedd y deddfau hyn mewn grym tan 1655. Doedd Iddewon ddim wedi gallu dychwelyd i'r wlad tan hynny.

Ffigur 1.5 Delwedd o Iddewon yn cael eu curo, o lawysgrif Seisnig o'r drydedd ganrif ar ddeg. Mae'r cymeriadau mewn glas a melyn yn gwisgo bathodyn ar ffurf dwy lechen. Mae'r rhain yn cynrychioli'r Ddwy Lechen Garreg gyda'r Deg Gorchymyn arnyn nhw, y cafodd Moses gan Dduw yn y stori feiblaidd (Exodus 20:1–17).

Gweithgareddau

Ewch ati i wneud gwaith ymchwil i ddarganfod:

1 Beth ddigwyddodd yn Efrog yn 1190?
2 Beth oedd y cysylltiad rhwng erledigaeth yr Iddewon â'r Croesgadau (*Crusades*)?

Newid dros amser

Wrth i amser fynd heibio, dechreuodd bywydau pobl newid. Yn sgil dyfeisiau a darganfyddiadau newydd yn yr ail ganrif ar bymtheg a'r ddeunawfed ganrif, dechreuodd pobl weld y byd mewn ffyrdd gwahanol a herio syniadau a oedd yn bodoli'n barod. I lawer o bobl, doedd crefydd ddim mor bwysig ag yr oedd yn arfer bod. Daeth agweddau newydd i'r amlwg – yn enwedig yng ngorllewin Ewrop. Yma, roedd fwyfwy o bobl yn dadlau bod pawb yn gyfartal, ni waeth beth oedd eu credoau.

Yn araf, dechreuodd llawer o'r deddfau yn erbyn Iddewon gael eu diddymu. Wrth i'r getos gau a'r cyfyngiadau ar swyddi gael eu codi, daeth Iddewon a phobl nad oedden nhw'n Iddewon i gysylltiad agosach â'i gilydd. Wrth i Iddewon gymryd y cyfleoedd newydd a oedd ar gael iddyn nhw yn y ddeunawfed ganrif a'r bedwaredd ganrif ar bymtheg, roedden nhw'n gwneud cyfraniad cynyddol yn y gwledydd roedden nhw'n byw ynddyn nhw.

Cyfraniadau Iddewig at fywyd a diwylliant Ewrop

Yn ystod yr ugeinfed ganrif, gwnaeth miliynau o Iddewon barhau i gael effaith gadarnhaol ar fywyd a diwylliant cymunedau ledled Ewrop. Dyma rai enghreifftiau.

Gweithgaredd

Dewiswch un o'r pump o bobl hyn, a cheisiwch ddod o hyd i ragor o wybodaeth amdano/amdani.

Albert Einstein

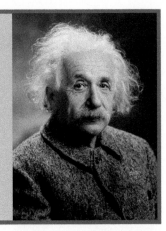

Cafodd Albert Einstein ei eni yn yr Almaen yn 1879. Daeth yn ffisegydd enwog, a gwnaeth ei waith newid syniadau gwyddonol yn llwyr.

Gerty Simon

Roedd Gerty Simon yn ffotograffydd enwog o'r Almaen. Cafodd ei ffotograffau eu dangos mewn nifer o arddangosfeydd yn Berlin yn ystod yr 1920au a dechrau'r 1930au.

Béla Guttmann

Roedd Béla Guttmann yn chwaraewr pêl-droed llwyddiannus. Bu'n cynrychioli Hwngari yn y Gemau Olympaidd yn 1924. Fel rheolwr Benfica, enillodd Gwpan Ewrop yn 1961 ac 1962.

Ida Rubenstein

Cafodd Ida Rubenstein ei geni yn 1883 yn y wlad sydd bellach yn cael ei galw'n Ukrain. Daeth yn actor ac yn ddawnsiwr enwog.

Janusz Korczak

Cafodd Janusz Korczak ei eni yn Warszawa, Gwlad Pwyl. Roedd yn feddyg, yn addysgwr ac yn awdur. Ef oedd un o'r bobl gyntaf i siarad am hawliau plant, ac roedd yn credu y dylai plant gael eu haddysgu gyda chariad a pharch.

Gwrth-Semitiaeth

Roedd pobl yn dal i gasáu Iddewon. Roedd gan rai Cristnogion gredoau gwrth-Iddewig o hyd. Dechreuodd pobl eraill, a oedd ddim yn hoffi Iddewon ond nad oedden nhw'n grefyddol, chwilio am ffyrdd newydd o gyfiawnhau eu credoau. Yn 1870, cyflwynodd gwleidydd o'r Almaen o'r enw Wilhelm Marr air newydd i fynegi ei gredoau yn erbyn Iddewon: 'gwrth-Semitiaeth'.

I Marr a'i ddilynwyr, doedd gan grefydd ddim i'w wneud â'r gwahaniaeth rhwng Iddewon a phobl nad oedden nhw'n Iddewon. Yn hytrach, roedden nhw'n honni bod Iddewon yn perthyn i 'hil' wahanol. Wrth gwrs, dydy hyn ddim yn wir. Fodd bynnag, yn ogystal â chredu bod Iddewon yn perthyn i 'hil' wahanol, roedd y bobl a oedd yn credu mewn gwrth-Semitiaeth hefyd yn credu bod Iddewon yn beryglus, ac yn fygythiad i'r 'hil Ariaidd'.

Gwrth-Semitiaeth yn yr Almaen

Er bod gwrth-Semitiaeth yn bodoli yn yr Almaen yn 1900, nid oedd yn rym gwleidyddol cryf. Ond yn ystod y Rhyfel Byd Cyntaf ac wedi hynny, gwelwyd twf mewn gwrth-Semitiaeth. Roedd rhai pobl yn honni bod yr Almaen wedi colli'r rhyfel oherwydd yr Iddewon. Doedd hyn ddim yn wir o gwbl, ond roedd yn chwarae ar yr hen arfer o drin Iddewon fel bwch dihangol.

Yn ystod yr 1920au, roedd gwrth-Semitiaeth yn parhau i dyfu, ond doedd Iddewon yr Almaen ddim yn teimlo eu bod mewn perygl mawr. Roedd y twf ym mhoblogrwydd y Natsïaid ar ôl 1929 yn destun pryder, ond hyd yn oed pan ddaeth Hitler yn arweinydd yr Almaen yn 1933, roedd llawer o bobl yn credu na fyddai mewn grym yn hir iawn.

Byw gyda gwrth-Semitiaeth

Gallai gwrth-Semitiaeth ddigwydd ar sawl ffurf, ond roedd bob amser yn annifyr ac yn achosi gofid.

Ffynhonnell 1.4

Pan oeddwn i tua pum mlwydd oed, dywedodd fy nhad [meddyg] … fod babi wedi cael ei eni yn y nos, ac roedd yn poeni braidd am y fenyw a'r plentyn, ac roedd eisiau mynd i'w gweld nhw. Felly aethon ni yno, ac fe wnaeth fy ngadael yn sefyll yn yr iard ac … yn sydyn … daeth plant allan o'r drysau cyfagos, a dyma nhw'n dechrau fy ngalw i'n 'fochyn brwnt Iddewig', a dechrau taflu cerrig ata i. Erbyn i fy nhad ddod allan, roeddwn i'n sefyll yno yn crio ac yn gwaedu.

O dystiolaeth Trude Levi, Hwngari

Ffynhonnell 1.5

Ddwywaith y flwyddyn, … ar ddydd Gwener y Groglith ac ar ddydd Nadolig, roedd rhaid i ni roi caead ar y ffenestri, oherwydd byddai'r ffenestri'n cael eu torri gan fod yr offeiriad lleol yn arfer dweud 'Mae Ein Crist rydyn ni'n ei garu wedi cael ei lofruddio gan yr Iddewon ac mae'r Iddewon hyn yn byw yn eich plith chi'.

O dystiolaeth Roman Halter, Gwlad Pwyl

Gweithgareddau

1 Beth yw gwrth-Semitiaeth? Esboniwch gwrth-Semitiaeth yn eich geiriau eich hun.

2 Yn eich barn chi, pa effaith fyddai'r profiadau gwrth-Semitig sy'n cael eu disgrifio yn Ffynonellau 1.4 ac 1.5 wedi ei chael ar Trude a Roman?

3 Pryd gwnaeth y rhagfarn tuag at Iddewon yr Almaen ddechrau newid, a pham?

Nawr eich bod chi wedi astudio'r uned hon, gwiriwch eich gwybodaeth yma:
www.ucl.ac.uk/holocaust-education

Datblygu gwybodaeth a dealltwriaeth

Er mwyn gwella eich gwybodaeth a herio camddealltwriaethau cyffredin, byddwch chi'n dysgu am y canlynol:

- Pwy oedd y Natsïaid, a'u syniadau allweddol.
- Sut a pham roedd nifer o Almaenwyr yn barod i gefnogi Hitler a'r Natsïaid.
- Sut roedd y Natsïaid yn beio Iddewon, a hynny yn annheg ac yn anghywir, am lawer o broblemau'r Almaen.
- Y ffaith na wnaeth Hitler a'r Natsïaid gipio pŵer drwy rym. Yn hytrach, cawson nhw eu gwahodd i lywodraethu.
- Y ffyrdd roedd y Natsïaid yn rheoli bywydau pobl ar ôl 1933 a sut roedden nhw'n defnyddio arswyd a thrais.
- Beth oedd **gwersylloedd crynhoi** a pham cawson nhw eu creu.
- Y ffaith bod y Natsïaid yn hiliol, ac yn gweld rhai grwpiau lleiafrifol fel gelynion neu fygythiad.
- Sut a pham gwnaeth y Natsïaid **erlid** grwpiau lleiafrifol gwahanol.

Meddwl yn hanesyddol

Esboniad

Mae'n bwysig deall sut a pham roedd grwpiau penodol yn cael eu herlid yn yr **Almaen Natsïaidd**.

Edrychwch ar y Gweithgaredd 'Gelynion a bygythiad' ym Mhennod 2.3. Dewiswch un o'r grwpiau a gafodd eu herlid gan y Natsïaid.

- Disgrifiwch sut roedd y grŵp hwn yn cael ei drin gan y Natsïaid.
- Esboniwch pam roedd y Natsïaid yn trin y grŵp hwn fel hyn.
- Yn eich barn chi, pam roedd y Natsïaid wedi gallu trin y grŵp hwn fel hyn? (Meddyliwch am y lefelau o gefnogaeth ar gyfer y Natsïaid yn yr Almaen, yn ogystal â'u defnydd o arswyd).

Trafod

- Yn eich barn chi, pa mor bwysig oedd **propaganda** wrth esbonio pam daeth y Natsïaid i rym?
- I ba raddau rydych chi'n cytuno bod pobl yr Almaen wedi cael eu gorfodi i gefnogi Hitler oherwydd ofn ac arswyd?

Y cwestiwn MAWR: Sut digwyddodd yr Holocost a pham?

Edrychwch drwy eich nodiadau. Wrth i chi astudio Uned 2, pa wybodaeth, syniadau neu ddealltwriaeth newydd sydd gennych chi o ran y cwestiwn mawr hwn?

2.1 Pwy oedd y Natsïaid?

Ar ôl y Rhyfel Byd Cyntaf, roedd bywyd yn yr Almaen yn galed iawn. Roedd bwyd yn brin, a llawer o drais ar y strydoedd. Roedd Cytundeb Versailles (1919) wedi cythruddo llawer o bobl. Roedd y Cytundeb yn beio'r Almaen am y rhyfel, yn rhoi rhai o hen diroedd yr Almaen i wledydd eraill, ac yn gorfodi'r Almaen i dalu **iawndal**. Fel llawer o Almaenwyr, roedd Adolf Hitler, cyn-filwr, yn teimlo'n flin ac yn rhwystredig ar ôl i'r Almaen gael ei threchu. Roedd ganddo syniadau eithafol am ddyfodol yr Almaen, ac yn 1919, ymunodd â phlaid wleidyddol fach. Yn 1920 cafodd y blaid ei hailenwi yn Blaid Genedlaethol Gweithwyr Sosialaidd yr Almaen (NSDAP), neu'r blaid Natsïaidd. Yn 1921, daeth Hitler yn arweinydd y blaid Natsïaidd.

Syniadau'r Natsïaid

Mae gan bob plaid wleidyddol syniadau, credoau a gwerthoedd, sef ideoleg. Mae ideolegau yn bwysig gan eu bod yn helpu i esbonio'r addewidion mae gwleidyddion yn eu gwneud, a'r hyn mae gwleidyddion yn ei wneud pan maen nhw mewn grym. Mae rhagor o wybodaeth am ideoleg y Natsïaid i'w gweld isod.

Rhywbeth i'w ystyried

Yn ystod y blynyddoedd ar ôl i'r Rhyfel Byd Cyntaf ddod i ben, pam byddai syniadau'r Natsïaid wedi apelio at rai Almaenwyr, o bosibl?

Ffigur 2.1 Syniadau'r Natsïaid.

Gwrth-Semitiaeth: Casineb tuag at Iddewon, yn seiliedig ar y gred anghywir bod pob Iddew yn perthyn i 'hil' sy'n beryglus ac yn israddol. Roedd y Natsïaid yn credu, a hynny'n anghywir, bod Iddewon yn fygythiad i'r Almaen. Roedden nhw'n eu beio am y ffaith bod yr Almaen wedi cael ei threchu yn y rhyfel, ac am y problemau a oedd yn wynebu'r wlad ar ôl hynny.

Hunangynhaliaeth: Ddylai'r Almaen ddim dibynnu ar wledydd eraill am fwyd na defnyddiau.

Gwrth-gomiwnyddiaeth: Roedd y Natsïaid yn ystyried y **comiwnyddion** yn fygythiad i'r Almaen, ac felly roedden nhw am eu dinistrio. Mae comiwnyddion yn credu y dylai pawb rannu cyfoeth gwlad.

Lle i fyw (Lebensraum): Y gred bod ar yr Almaen angen mwy o dir er mwyn dod yn wlad gryfach.

Almaen Gryf: Dylai'r Almaen ddiddymu Cytundeb Versailles, cymryd ei thir yn ôl ac uno holl bobl yr Almaen.

Arweinydd cryf: Yn hytrach na democratiaeth, roedd ar yr Almaen angen un arweinydd cryf a oedd â grym absoliwt.

Cenedlaetholdeb: Credu'n angerddol bod yr Almaen yn well na'r holl wledydd eraill.

Darwiniaeth gymdeithasol: Y syniad y gallai pobl gael eu grwpio yn 'hiliau' gwahanol, a bod 'hiliau' mewn cystadleuaeth barhaus â'i gilydd. Roedd y Natsïaid yn credu bod Almaenwyr yn perthyn i'r 'hil' gryfaf, yr 'hil Ariaidd'.

Cymuned y Bobl (Volksgemeinschaft): Roedd ar y Natsïaid eisiau i Almaenwyr weithio gyda'i gilydd i greu gwlad falch a phwerus. Roedd undod a ffyddlondeb i'r genedl yn bwysicach nag anghenion yr unigolyn.

Esgyniad y Natsïaid

Drwy gydol yr 1920au, roedd y blaid Natsïaidd yn parhau i fod yn fach. Ond o ganol yr 1920au ymlaen, roedd yn blaid drefnus iawn a dechreuodd gymryd rhan mewn etholiadau. Yn etholiad 1928, enillodd 2.6 y cant o'r bleidlais yn unig. Pum mlynedd yn ddiweddarach, y Natsïaid oedd y blaid wleidyddol fwyaf, a Hitler oedd arweinydd yr Almaen. Sut digwyddodd hyn?

Ym mis Hydref 1929, dechreuodd argyfwng economaidd o'r enw 'y **Dirwasgiad Mawr**'.

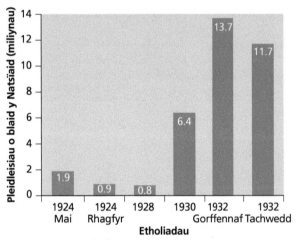

Ffigur 2.2 Nifer y bobl wnaeth bleidleisio o blaid y Natsïaid mewn etholiadau, 1924–32.

Ffigur 2.3 Poster etholiad 1932: 'Ein gobaith olaf – Hitler'.

Dechreuodd yn UDA, ond lledaenodd ar draws y byd. Cafodd effaith ddifrifol ar yr Almaen. Gwelwyd cynnydd mewn diweithdra a digartrefedd, ac roedd llawer o bobl yn ei chael yn anodd bwydo eu teuluoedd. Roedd Hitler a'r Natsïaid yn cynnig gobaith i lawer o Almaenwyr.

Roedden nhw'n addo swydd i bob Almaenwr, yn addo adfer balchder yr Almaen ac yn addo cael gwared ar y rhai a oedd yn honedig gyfrifol am yr anhrefn. Yn etholiad mis Gorffennaf 1932, enillodd y Natsïaid 37 y cant o'r bleidlais, gan olygu mai nhw oedd plaid fwyaf yr Almaen. Edrychwch ar Ffigur 2.2. Yn etholiad mis Tachwedd 1932, roedd nifer y pleidleisiau o blaid y Natsïaid wedi gostwng. Gwnaeth hyn argyhoeddi rhai pobl, yn anghywir, y byddai Hitler yn haws ei reoli. Ar 30 Ionawr 1933, gofynnwyd i Hitler arwain llywodraeth.

Gweithgareddau

1 Astudiwch Ffigur 2.2. Beth ddigwyddodd i nifer yr Almaenwyr a oedd yn pleidleisio o blaid y Natsïaid rhwng etholiadau 1928 ac 1930?

2 Edrychwch eto ar Ffigur 2.1, 'Syniadau'r Natsïaid'. Yn eich barn chi, pam gwnaeth nifer cynyddol o Almaenwyr bleidleisio o blaid y Natsïaid yn etholiad mis Gorffennaf 1932? Roedd syniadau'r Natsïaid yr un fath ag yr oedden nhw yn ystod yr 1920au.

Felly beth oedd wedi newid? Ceisiwch esbonio eich ateb. Defnyddiwch y poster yn Ffigur 2.3 i'ch helpu.

3 Wnaeth y Natsïaid ddim cipio pŵer drwy rym, a wnaethon nhw ddim ennill digon o bleidleisiau mewn etholiad i ddod i rym chwaith. Yn eich geiriau eich hun, ceisiwch esbonio sut daeth Hitler yn arweinydd yr Almaen yn 1933.

Pam gwnaeth cynifer o Almaenwyr bleidleisio o blaid Hitler?

Propaganda

Yn 1930, cafodd Joseph Goebbels ei roi yng ngofal **propaganda** y blaid Natsïaidd. Defnyddiodd bapurau newydd, posteri, taflenni, cyfarfodydd gwleidyddol a ralïau yn llwyddiannus iawn i ddweud wrth bobl am syniadau'r Natsïaid. Gwnaeth y Natsïaid hefyd ddefnyddio dulliau 'newydd' (e.e. ffilm, radio, uwchseinyddion, recordiau) yn effeithiol iawn. Roedd Goebbels yn credu mewn cysylltu â phobl yn emosiynol. Yn y ralïau a oedd yn denu torfeydd enfawr, defnyddiodd y Natsïaid ffaglau, cerddoriaeth, saliwtiau, baneri a chaneuon i ddod â phobl ynghyd, ac i greu ymdeimlad o ddrama, cyffro a pherthyn.

Joseph Goebbels, pennaeth propaganda y Natsïaid, yn annerch torf enfawr o gefnogwyr, Berlin 1932.

Rôl yr SA

Grŵp o fewn y blaid Natsïaidd oedd yr SA (*Sturmabteilung*) neu'r Stormfilwyr. Roedden nhw'n gwisgo lifrai milwrol a bydden nhw'n gorymdeithio, gan roi'r argraff o drefn. Roedd yr SA hefyd yn dreisgar, a bydden nhw'n aml yn ymosod ar **wrthwynebwyr gwleidyddol** (fel comiwnyddion) yn y strydoedd.

Aelodau o'r SA yn gorymdeithio yn y strydoedd, yn dangos eu grym er mwyn codi ofn ar bleidleiswyr a'u perswadio i gefnogi Hitler (Spandau, Yr Almaen, 1932).

Apêl Hitler

Roedd propaganda y Natsïaid yn aml yn cyflwyno Hitler fel yr arweinydd a'r gwaredwr roedd ar yr Almaen ei angen. Roedd yn cael ei ystyried yn siaradwr gwych a allai gysylltu â'r torfeydd, a'u cyffroi. Roedd llawer o Almaenwyr yn credu y byddai Hitler yn arweinydd cryf a allai ddatrys problemau'r Almaen a chynnig gobaith i'r dyfodol.

Poster ymgyrchu 1932.

Trefniadaeth

Roedd y blaid yn cael ei threfnu'n ofalus er mwyn apelio at bob Almaenwr. Cafodd grwpiau gwahanol eu creu, fel Mudiad Ieuenctid Hitler, y Gymdeithas Athrawon Natsïaidd ac Urdd Menywod yr Almaen. Roedd y blaid hefyd yn trefnu digwyddiadau chwaraeon, ffeiriau a chyngherddau lleol, i ddod â phobl at ei gilydd mewn ffyrdd cyffrous. Y nod oedd gwneud i bobl deimlo bod y Natsïaid ar eu hochr nhw, a chreu ymdeimlad o berthyn.

Aelodau Mudiad Ieuenctid Hitler yn rhoi'r saliwt Natsïaidd ar gefn beic yn Berlin, 1932.

Addewidion y Natsïaid

Roedd y Natsïaid yn gwneud addewidion a oedd yn apelio at bobl wahanol ar adeg pan oedd llawer o Almaenwyr yn credu bod eu llywodraeth wedi methu mynd i'r afael â'r Dirwasgiad Mawr. Roedden nhw'n addo amddiffyn yr Almaen rhag y 'bygythiad' comiwnyddol. Roedd hyn yn apelio at gymuned fusnes yr Almaen, a oedd yn ofni y byddai'r comiwnyddion yn mynd â'u busnesau oddi wrthyn nhw. Gwnaeth y Natsïaid addo gwell swyddi a gwell pensiynau i bobl yr Almaen hefyd, a chymorth i fusnesau bach a ffermwyr. Roedden nhw'n beio'r Iddewon, a hynny'n annheg, am fethiannau'r Almaen. Yng nghanol anhrefn ac anhawster, roedd llawer o Almaenwyr yn cael eu denu at y syniadau hyn.

Aelodau o'r SA yn eistedd gyda ffermwr a'i wraig i geisio eu perswadio i bleidleisio dros y Natsïaid, Mehefin 1932.

Gweithgareddau

Mae haneswyr yn ceisio esbonio beth sydd wedi achosi digwyddiadau yn y gorffennol. Mae'r wybodaeth ar y tudalennau hyn yn cyflwyno rhai o'r achosion allweddol sy'n helpu i esbonio pam daeth Hitler a'r Natsïaid i rym.

1 Nodwch gynifer o achosion â phosibl sy'n helpu i esbonio pam gwnaeth llawer o Almaenwyr bleidleisio o blaid y Natsïaid.

2 Yn eich barn chi, pa mor bwysig yw gwrth-Semitiaeth wrth esbonio pam daeth y Natsïaid i rym?

2.2 Sut roedd y Natsïaid yn rheoli'r Almaen?

Ar ôl dod i rym, gwnaeth y Natsïaid fanteisio ar gyfleoedd i reoli'r Almaen. Ym mis Mawrth 1933, pasiwyd **Deddf Alluogi**, a oedd yn rhoi pwerau llawn i Hitler lunio deddfau. Ym mis Gorffennaf 1933, cafodd pob plaid wleidyddol arall ei gwahardd a daeth yr Almaen yn wladwriaeth un blaid.

Ar ôl marwolaeth arlywydd yr Almaen, yr Arlywydd Hindenburg, yn 1934, roedd Hitler yn rheoli fel **unben**. Fel mae'r diagram isod yn ei ddangos, gwnaeth y Natsïaid geisio rheoli pob agwedd ar fywydau pobl.

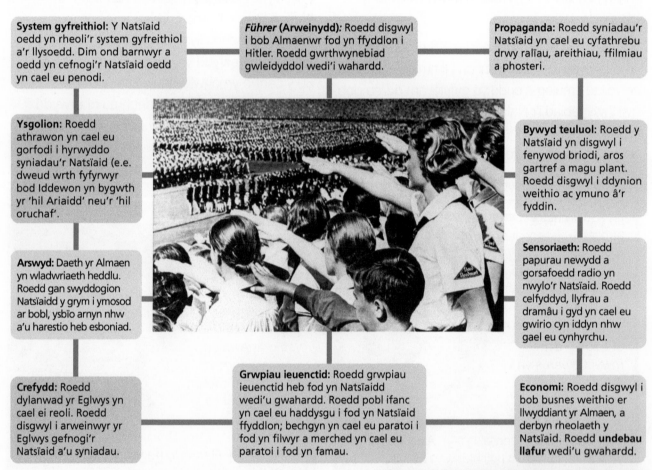

System gyfreithiol: Y Natsïaid oedd yn rheoli'r system gyfreithiol a'r llysoedd. Dim ond barnwyr a oedd yn cefnogi'r Natsïaid oedd yn cael eu penodi.

Ysgolion: Roedd athrawon yn cael eu gorfodi i hyrwyddo syniadau'r Natsïaid (e.e. dweud wrth fyfyrwyr bod Iddewon yn bygwth yr 'hil Ariaidd' neu'r 'hil oruchaf'.

Arswyd: Daeth yr Almaen yn wladwriaeth heddlu. Roedd gan swyddogion Natsïaidd y grym i ymosod ar bobl, ysbïo arnyn nhw a'u harestio heb esboniad.

Crefydd: Roedd dylanwad yr Eglwys yn cael ei reoli. Roedd disgwyl i arweinwyr yr Eglwys gefnogi'r Natsïaid a'u syniadau.

Führer (Arweinydd): Roedd disgwyl i bob Almaenwr fod yn ffyddlon i Hitler. Roedd gwrthwynebiad gwleidyddol wedi'i wahardd.

Grwpiau ieuenctid: Roedd grwpiau ieuenctid heb fod yn Natsïaidd wedi'u gwahardd. Roedd pobl ifanc yn cael eu haddysgu i fod yn Natsïaid ffyddlon; bechgyn yn cael eu paratoi i fod yn filwyr a merched yn cael eu paratoi i fod yn famau.

Propaganda: Roedd syniadau'r Natsïaid yn cael eu cyfathrebu drwy ralïau, areithiau, ffilmiau a phosteri.

Bywyd teuluol: Roedd y Natsïaid yn disgwyl i fenywod briodi, aros gartref a magu plant. Roedd disgwyl i ddynion weithio ac ymuno â'r fyddin.

Sensoriaeth: Roedd papurau newydd a gorsafoedd radio yn nwylo'r Natsïaid. Roedd celfyddyd, llyfrau a dramâu i gyd yn cael eu gwirio cyn iddyn nhw gael eu cynhyrchu.

Economi: Roedd disgwyl i bob busnes weithio er llwyddiant yr Almaen, a derbyn rheolaeth y Natsïaid. Roedd **undebau llafur** wedi'u gwahardd.

Ffigur 2.4 Sut roedd y Natsïaid yn rheoli'r Almaen.

Gweithgaredd

Dewiswch dri o'r dulliau rheoli yn y diagram. Esboniwch sut byddai pob un o'r rhain wedi helpu'r Natsïaid i reoli pobl yr Almaen.

Rhywbeth i'w ystyried

Yn eich barn chi, pam roedd y Natsïaid yn awyddus i ennill cefnogaeth pobl ifanc? Sut byddai hyn wedi gallu eu helpu i gadw rheolaeth yn yr Almaen?

Trais a gwladwriaeth heddlu

Yn ystod yr 1920au, roedd y Natsïaid yn defnyddio trais yn erbyn eu gwrthwynebwyr (pobl a oedd yn anghytuno â syniadau'r Natsïaid). Ar ôl dod i rym ym mis Ionawr 1933, gwelwyd cynnydd yn y trais wrth i'r Natsïaid geisio cael gwared ar bob gwrthwynebiad. Roedd dau sefydliad Natsïaidd yn bwysig iawn yn y **wladwriaeth heddlu**: yr SS a'r Gestapo.

Rhwng 1929 ac 1945, roedd yr SS (*Schutzstaffel*) yn cael ei arwain gan Heinrich Himmler. Roedd yn sefydliad creulon a oedd yn gyfrifol am ddileu pob gwrthwynebiad i'r Natsïaid. Yr SS oedd yn rhedeg y gwersylloedd crynhoi, gan ymosod ar Iddewon a grwpiau eraill o ddioddefwyr.

O 1934 ymlaen, arweinydd y Gestapo oedd Reinhard Heydrich. Roedd y Gestapo yn annog pobl i ysbïo ar ei gilydd a rhoi gwybod am unrhyw un a oedd yn dweud neu'n gwneud pethau yn erbyn y Natsïaid. Roedd y Gestapo yn codi arswyd ar lawer o Almaenwyr, oherwydd gallai pobl gael eu harestio a'u hanfon i wersylloedd crynhoi ar sail sïon, a hynny heb achos llys nac esboniad. Mae tystiolaeth newydd yn dangos bod cynifer ag 80 y cant o ymchwiliadau'r Gestapo mewn rhai rhannau o'r Almaen wedi dechrau oherwydd gwybodaeth a gafodd ei rhoi'n wirfoddol gan bobl yr Almaen.

Heinrich Himmler, un o arweinwyr mwyaf agos a ffyddlon Hitler, oedd pennaeth yr Heddlu, yr SS a'r system gwersylloedd crynhoi. Ar ôl Hitler, ef oedd y dyn mwyaf pwerus yn yr Almaen.

Roedd ganddo obsesiwn â syniadau hiliol y Natsïaid. Chwaraeodd rôl flaenllaw yn yr 'Ateb Terfynol', y cynllun i lofruddio holl Iddewon Ewrop.

Yn 1931, daeth **Reinhard Heydrich** yn arweinydd Gwasanaeth Diogelwch yr SS (SD). Pwrpas y gwasanaeth oedd ysbïo ar elynion y Natsïaid yn yr Almaen a thramor, a chael gwared arnyn nhw. Yn 1934, daeth yn arweinydd y Gestapo hefyd. Yn 1939, daeth Heydrich yn bennaeth Prif Swyddfa Diogelwch y Reich, a oedd yn gyfrifol am gynllun y Natsïaid i lofruddio'r holl Iddewon yn ystod yr Ail Ryfel Byd. Roedd yn arweinydd didostur a chreulon. Roedd yn gweithio'n agos gyda'i uwch swyddog, Heinrich Himmler.

Rhywbeth i'w ystyried

Ydych chi'n synnu bod pobl yr Almaen wedi bod yn barod i roi gwybodaeth am ei gilydd i'r Gestapo? Pa resymau posibl sydd i esbonio pam roedd pobl yn gwneud hynny?

Gwersylloedd crynhoi

Yn 1933, cafodd tua 200,000 o wrthwynebwyr gwleidyddol (comiwnyddion yn bennaf) eu harestio gan fod y Natsïaid yn credu eu bod nhw'n fygythiad i'w grym. Roedd rhaid i'r Natsïaid ddod o hyd i leoedd ar frys i garcharu'r holl ddioddefwyr hyn. Felly, cafodd warysau, ffatrïoedd, bariau, gwestai, cestyll a meysydd chwaraeon eu defnyddio. Dros y misoedd a'r blynyddoedd nesaf, arestiodd y Natsïaid gannoedd ar filoedd o bobl, yr oedden nhw'n honni eu bod yn elynion i'r Almaen. Dechreuodd mwy a mwy o'r bobl hyn gael eu carcharu mewn gwersylloedd crynhoi wedi'u hadeiladu'n arbennig.

Rhwng 1933 ac 1945, gwnaeth y Natsïaid sefydlu 25 o wersylloedd crynhoi, gyda 1,100 o wersylloedd llai ynghlwm wrthyn nhw. Ar 22 Mawrth 1933, agorwyd y gwersyll crynhoi cyntaf ger tref o'r enw Dachau, yn agos at München. Roedd llofruddiaethau yn anghyffredin, ac roedd y mwyafrif o bobl yn cael gadael y gwersylloedd ar ôl cyfnod o amser. Fodd bynnag, roedd yr amodau byw ym mhob un o'r gwersylloedd crynhoi yn galed, ac roedd achosion o guro,

sarhau, arteithio a llafur gorfodol yn gyffredin. Roedd gwarchodwyr Natsïaidd yn adnabyddus am eu creulondeb.

Ffigur 2.5 Ffotograff wedi'i dynnu'n gyfrinachol o garcharorion Dachau yn gorymdeithio drwy dref (1933/34).

Rhywbeth i'w ystyried

Nid oedd gwersylloedd crynhoi yr Almaen yn rhai cudd. Beth mae Ffigur 2.5 yn ei ddweud wrthym ni am yr hyn roedd pobl yr Almaen yn ei wybod am y gwersylloedd? Pam byddai rhywun wedi tynnu'r llun hwn o garcharorion gwersyll Dachau yn gyfrinachol?

FFEITHIAU AC YSTADEGAU

Gwersylloedd crynhoi cynnar

- Daethon nhw yn fannau lle gallai gwrthwynebwyr gwleidyddol allweddol, fel comiwnyddion, gael eu tynnu allan o gymdeithas yr Almaen.

- Gan nad oedd y gwersylloedd wedi'u cuddio, roedden nhw'n lledaenu ofn ac arswyd ar draws y wlad, gan annog pobl i beidio â herio syniadau a gweithredoedd y Natsïaid.

- Ar yr adeg hwn, nid Iddewon oedd mwyafrif y carcharorion mewn gwersylloedd crynhoi. Eto i gyd, yr amcangyfrif yw bod 5 y cant o'r carcharorion yn Iddewon yn 1933. Mae hyn yn golygu bod Iddewon bum gwaith yn fwy tebygol o gael eu carcharu yn yr Almaen Natsïaidd na phobl nad oedden nhw'n Iddewon.

I ba raddau roedd pobl yr Almaen yn cefnogi'r Natsïaid?

Roedd y Natsïaid yn amlwg yn defnyddio trais ac arswyd i geisio rheoli'r Almaen. Ond mae'r rhan fwyaf o haneswyr yn cytuno ei bod yn rhy syml dweud bod pobl yr Almaen wedi cael eu 'gorfodi' i gefnogi'r Natsïaid am fod arnyn nhw eu hofn. Mewn gwirionedd, yn ystod yr 1930au roedd llawer o Almaenwyr yn barod i gefnogi'r Natsïaid, oherwydd roedden nhw'n ystyried y blaid yn un llwyddiannus. Er enghraifft, roedd Hitler wedi addo lleihau diweithdra, a llwyddodd i wneud hynny. Eto i gyd, roedd nifer bach o bobl a sefydliadau yn gwrthwynebu'r Natsïaid o hyd, ond daeth hyn yn rhywbeth fwyfwy anodd a pheryglus i'w wneud.

Môr-ladron Edelweiss

Grwpiau o Almaenwyr ifanc a oedd yn gwrthwynebu'r Natsïaid oedd Môr-ladron Edelweiss. Roedden nhw'n gwrthod ymddwyn fel roedd y Natsïaid eisiau iddyn nhw ei wneud. Byddai grwpiau yn mynd i wersylla, yn canu caneuon gwrth-Natsïaidd ac yn ymladd gyda grwpiau ieuenctid Natsïaidd. Yn ystod y rhyfel, roedden nhw'n cymryd rhan mewn gweithgarwch gwrthsefyll. Ar y dechrau, roedd yr aelodau yn cael rhybudd neu'n cael eu harestio, ond yn ddiweddarach, erbyn yr 1940au, roedden nhw'n cael eu hanfon i wersylloedd crynhoi. Roedd rhai yn cael eu llofruddio hyd yn oed.

Melita Maschmann

Roedd Melita Maschmann yn ei harddegau pan ddaeth Hitler i rym, ac ymunodd ag un o fudiadau ieuenctid y Natsïaid. Buodd hi'n ysbïo ar ran y Gestapo, gan roi gwybodaeth iddyn nhw am deulu ei ffrind Iddewig, Marianne Schweitzer. O ganlyniad, cafodd chwaer hŷn Marianne ei harestio a'i hanfon i wersyll crynhoi. Yn 1963, cyhoeddodd Melita Maschmann ei hatgofion am gefnogi'r Natsïaid.

Ffynhonnell 2.1

Dychmygwch yr holl deuluoedd yn byw yn Berlin â phrin digon o fara sych i'w fwyta ... Roeddwn i'n credu'r [Natsïaid] pan wnaethon nhw addo cael gwared ar ddiweithdra ... roeddwn i'n eu credu nhw pan wnaethon nhw ddweud y bydden nhw'n uno'r Almaen unwaith eto, a oedd wedi'i rhannu yn fwy na phedwar deg o bleidiau gwleidyddol, a goresgyn canlyniadau Cytundeb Versailles.

Melita Maschmann, Almaenes ifanc yn ei harddegau

Ffynhonnell 2.2

Grym Hitler sy'n ein cadw'n fach

a chaeth o ddydd ein geni,

ond down un dydd yn rhydd ac iach

a thorrwn ein cadwyni.

Cân gan Fôr-ladron Edelweiss

Ffigur 2.6 Grŵp o Fôr-ladron Edelweiss ar lan llyn, 1939/1940.

Ffynhonnell 2.3

Agor traffordd newydd yn 1937. Roedd projectau fel hyn yn cael eu defnyddio i greu swyddi. Erbyn 1936, doedd diweithdra ddim yn broblem mwyach, ac roedd llawer o Almaenwyr yn wynebu dyfodol disglair.

Gweithgaredd

A oedd pawb yn cefnogi'r Natsïaid? Esboniwch eich ateb. Defnyddiwch y ffynonellau a'r astudiaethau achos ar dudalennau 28–29 i'ch helpu chi.

Ffynhonnell 2.4

Gwnaeth Konstantin Becker (ail o'r dde), athro, wrthod ymuno â'r Blaid Natsïaidd a'r Gymdeithas Athrawon Natsïaidd. Doedd ei blant ddim yn cael ymuno â Mudiad Ieuenctid Hitler chwaith. Ceisiodd y Blaid Natsïaidd ei ddiswyddo, ond gwnaeth barhau i weithio yn ei ysgol nes iddi gael ei chau yn 1944.

29

2.3 Pwy oedd y gelyn ym marn y Natsïaid, a sut roedden nhw'n eu trin nhw?

Cafodd llawer o grwpiau gwahanol o bobl eu targedu gan y Natsïaid, ond ddim bob amser yn yr un ffordd nac am yr un rhesymau. Un elfen annymunol iawn ar fydolwg y Natsïaid oedd y syniad bod rhai pobl ('hiliau') yn 'well' nag eraill. Roedden nhw'n credu, a hynny yn anghywir, y gallai gwyddoniaeth adnabod Almaenwyr 'pur' a oedd yn rhan o 'hil oruchaf' neu'r 'hil Ariaidd'. Roedd y Natsïaid yn aml yn erlid, yn brawychu a hyd yn oed yn llofruddio pobl nad oedden nhw'n cael eu hystyried yn rhan o'r 'hil Ariaidd' neu 'Gymuned y Bobl' (*Volksgemeinschaft*).

Gweithgaredd

Gelynion a bygythiad

Ar y tudalennau hyn, byddwch chi'n darllen bywgraffiadau byr rhai o'r dioddefwyr. Bydd y rhain yn eich helpu chi i ddeall sut gwnaeth y Natsïaid ymosod ar grwpiau penodol, a pham. Darllenwch y darnau yn ofalus, cyn cwblhau tabl fel yr un sydd wedi'i ddechrau isod.

Pwy?	Pam roedd y Natsïaid yn eu gweld fel bygythiad?	Sut cawson nhw eu herlid?	Pa fywgraffiad?
Helga Gross	Roedd Helga yn blentyn â nam clywed. Roedd y Natsïaid yn credu bod pobl ag anableddau corfforol yn gwanhau'r Almaen.	Cafodd Helga ei diffrwythloni (*sterilise*) i'w hatal rhag cael plant.	B

Bywgraffiad A: Teulu Kusserow

Roedd Franz a Hilda Kusserow a'u 11 plentyn yn Dystion Jehofa. Gwnaeth y Natsïaid dargedu **Tystion Jehofa** gan eu bod yn gwrthod tyngu llw o deyrngarwch i Hitler. Cafodd dau o feibion hynaf y teulu eu llofruddio am wrthod gwasanaethu yn y fyddin. Bu farw'r trydydd mab ar ôl iddo gael ei ryddhau o wersyll, oherwydd ei fod wedi'i drin mor wael yno. Cafodd y tri phlentyn ieuengaf eu rhoi mewn cartrefi maeth o dan reolaeth y Natsïaid am dros chwe blynedd. Cafodd aelodau eraill o'r teulu eu rhoi mewn gwersylloedd crynhoi tan ddiwedd y rhyfel. Cafodd tua 6,000 o Dystion

Jehofa o'r Almaen Fawr eu cadw mewn carcharai neu wersylloedd crynhoi, a bu farw tua 1,400 yno. Yn ogystal, cafodd tua 250 eu llofruddio am wrthod ymladd yn y rhyfel.

Bywgraffiad B: Helga Gross

Roedd Helga yn blentyn â nam clywed. Pan oedd hi'n 16 oed, cafodd ei gorfodi i gael ei diffrwythloni. Doedd y Natsïaid ddim eisiau iddi gael plant a throsglwyddo'r 'nam' iddyn nhw. Ym mis Gorffennaf 1933, gwnaeth y Natsïaid gyflwyno deddf a oedd yn caniatáu diffrwythloni'n orfodol pobl a oedd yn dioddef o salwch a allai, ym marn y Natsïaid, gael ei drosglwyddo i genedlaethau'r dyfodol. Roedden nhw'n credu bod pobl ag anableddau corfforol yn gwanhau'r Almaen, a bod eu bywydau yn ddiwerth. Rhwng 1933 ac 1945, cafodd tua 350,000 o bobl eu diffrwythloni o dan y ddeddf hon, heb eu cydsyniad (*consent*). Bu farw tua 100 ohonyn nhw o ganlyniad i'r driniaeth. Gwnaeth Helga oroesi, ond doedd hi ddim yn gallu cael plant. Symudodd i UDA yn 1954.

Bywgraffiad C: Rudolf Brazda

Cafodd Rudolf ei eni yn yr Almaen i rieni o Tsiecoslofacia. Cafodd ei arestio yn 1937 am fod yn hoyw, a'i ddedfrydu i chwe mis o garchar. Yn 1941 cafodd ei arestio eto, ac yn 1942 cafodd ei anfon i wersyll crynhoi lle cafodd ei drin yn greulon, a'i orfodi i wneud llafur caled tan 1945. Roedd dynion hoyw Almaenig yn 'broblem' yn ôl y Natsïaid, oherwydd roedden nhw'n annhebygol o gael plant a helpu i greu 'hil Ariaidd' gryf. Roedd rhai Natsïaid hefyd yn credu, a hynny'n anghywir, y gallai bod yn hoyw fod yn rhywbeth a allai ledaenu ar draws yr Almaen, a llygru gwerthoedd Almaenig. Cafodd dynion hoyw eu trin yn ofnadwy. Cafodd llawer ohonyn nhw eu **sbaddu** (*castrate*). Arestiwyd tua 100,000 ohonyn nhw. O'r rhain, cafodd 10,000–15,000 eu hanfon i wersylloedd crynhoi, lle bu farw'r rhan fwyaf ohonyn nhw.

Bywgraffiad Ch: Ludwig Neumann

Roedd Ludwig yn ddyn busnes Iddewig Almaenig a oedd yn berchen ar fusnes dillad diwydiannol. Cafodd ei orchymyn i werthu ei ffatri yn 1938, cyn ei anfon i wersyll crynhoi Dachau. Roedd y Natsïaid yn credu bod Iddewon yn perthyn i hil israddol, ac yn beryglus i'r 'hil Ariaidd'. Cafodd ei ryddhau ar yr amod y byddai'n gadael yr Almaen ar unwaith. Gwnaeth Ludwig Neumann **ymfudo** i Brydain.

Bywgraffiad D: Bayume Muhammed Husen

Cafodd Bayume Muhammed Husen ei eni yn Nwyrain Affrica Almaenig (sef Tansania bellach). Roedd yn byw yn Berlin o 1929 ymlaen, ac yn gweithio mewn amryw o swyddi i ennill bywoliaeth. Yn 1941,

© Marianne Bechhaus-Gerst

cafodd ei gyhuddo o gael perthynas gyda menyw gwyn o'r Almaen. Roedd y Natsïaid yn credu na ddylai pobl yr 'hil oruchaf' gymysgu gyda phobl o waed 'israddol'. Cafodd ei arestio am 'warth hiliol' a'i anfon i wersyll crynhoi heb dreial. Bu farw yn y gwersyll yn 1944.

Bywgraffiad Dd: Karl Stojka

Cafodd Karl ei eni yn Awstria i rieni Roma. Roedd ei gyndeidiaid wedi teithio mewn wageni teuluol ar draws Awstria ers dau gan mlynedd a rhagor. Pan wnaeth yr Almaen gipio grym dros Awstria yn 1938, roedd yn rhaid i'w deulu roi'r gorau i deithio, oherwydd doedd y Natsïaid ddim yn hoffi ffordd o fyw y **Roma a'r Sinti** (neu'r 'Sipsiwn'). Roedden nhw'n credu bod y ffordd hon o fyw yn droseddol. Roedd y Natsïaid hefyd am atal 'Sipsiwn' rhag cymysgu gydag 'Ariaid'. Yn 1943, anfonwyd teulu Karl a degau ar filoedd o bobl Roma a Sinti eraill i wersylloedd. Cafodd llawer eu lladd â nwy yn ddiweddarach, ond llwyddodd Karl i oroesi'r rhyfel.

Bywgraffiad E: Anna Lehnkering

Cafodd Anna (ar y chwith yn y llun) ei geni yn yr Almaen yn 1915. Pan oedd hi'n bedair oed, dechreuodd gael hunllefau a dioddef o orbryder difrifol. Yn ddiweddarach, roedd hi'n cael trafferth gyda'i gwaith ysgol. Yn 1934, flwyddyn ar ôl i'r Natsïaid ddod i rym, cafodd Anna ei diffrwythloni'n orfodol gan fod y Natsïaid yn ystyried ei phroblemau yn anabledd meddyliol, a doedden nhw ddim eisiau iddi gael plant. Yn 1936, cafodd ei hanfon i gartref 'gofal a gwella'. Yna, yn 1940, cafodd ei symud i Ganolfan Ewthanasia Grafeneck a'i llofruddio mewn siambr nwy.

O fis Medi 1939 ymlaen, o dan orchymyn Hitler, dechreuodd y Natsïaid lofruddio plant anabl, ac yna oedolion anabl yn yr Almaen. Roedd y Natsïaid yn credu bod pobl ag anableddau meddyliol a chorfforol yn ddiwerth, ac yn gwneud yr Almaen yn wan. Rhoddwyd yr enw cod 'Aktion T4' ar y llofruddiaethau hyn, a daethon nhw'n fwy adnabyddus fel y **rhaglen 'ewthanasia'**. Cafodd staff T4 a'u dulliau eu defnyddio yn nes ymlaen yn ystod yr Holocost.

UCL
Centre for Holocaust Education

Nawr eich bod chi wedi astudio'r uned hon, gwiriwch eich gwybodaeth yma: **www.ucl.ac.uk/holocaust-education**

Datblygu gwybodaeth a dealltwriaeth

Er mwyn gwella eich gwybodaeth a herio camddealltwriaethau cyffredin, byddwch chi'n dysgu am y canlynol:

- Yn ystod yr 1930au, roedd ar y Natsïaid eisiau allgáu Iddewon Almaenig o'r gymdeithas.
- Roedd y Natsïaid yn defnyddio **propaganda**, trais a deddfau gwrth-Iddewig i wneud bywyd yn anodd dros ben i Iddewon yn yr Almaen.
- Doedd Iddewon ddim yn cael eu llofruddio'n dorfol cyn 1939.
- Effaith **erledigaeth** ar Iddewon yn yr Almaen.
- Sut gwnaeth ehangiad daearyddol yr **Almaen Natsïaidd** effeithio ar Iddewon.
- Sut gwnaeth Iddewon ymateb i **wahaniaethu**.
- Digwyddiadau hanesyddol allweddol, fel yr *Anschluss* a *Kristallnacht*.
- Yr heriau roedd Iddewon a oedd yn ceisio gadael yr Almaen yn yr 1930au yn eu hwynebu.

Meddwl yn hanesyddol

Newid a pharhâd

Ystyriwch beth ddigwyddodd i Iddewon a oedd yn byw yn yr Almaen yn ystod yr 1930au.

Lluniwch linell amser sy'n dechrau yn 1933, pan gafodd Hitler ei benodi yn arweinydd yr Almaen, ac sy'n dod i ben yn 1939 gyda dechrau'r Ail Ryfel Byd. Gadewch le gwag fel y gallwch chi ymestyn eich llinell amser.

Ar eich llinell amser, nodwch ddigwyddiadau allweddol sy'n ymwneud ag erledigaeth yr Iddewon yn yr Almaen.

Ar ôl i chi gwblhau eich llinell amser, defnyddiwch hi i ateb y cwestiynau canlynol:

- Sut gwnaeth bywyd newid i Iddewon rhwng 1933 ac 1939?
- Pa agweddau wnaeth aros yr un fath?

Trafod

- Pam wnaeth yr Almaen Natsïaidd fynd yn fwyfwy gwrth-Semitig? A oedd hyn oherwydd bod y Natsïaid yn llywodraethu, neu a oedd Almaenwyr 'cyffredin' yn gyfrifol hefyd?
- Sut dylen ni ymateb pan mae rhywun neu rhyw rai yn ceisio mynd â rhyddid a hawliau grŵp lleiafrifol oddi arnyn nhw?

Y cwestiwn MAWR: Sut digwyddodd yr Holocost a pham?

Edrychwch drwy eich nodiadau. Wrth i chi astudio Uned 3, pa wybodaeth, syniadau neu ddealltwriaeth newydd sydd gennych chi o ran y cwestiwn mawr hwn?

3.1 Sut gwnaeth bywyd newid i Iddewon yr Almaen?

Michael Siegel

Roedd Dr Michael Siegel yn Iddew o'r Almaen a oedd yn gweithio fel cyfreithiwr yn München. Pan gafodd un o'i gleientiaid ei arestio yn anghyfreithlon, aeth i bencadlys yr heddlu i gwyno. Yno, ymosododd y Stormfilwyr Natsïaidd ar Michael, gan dorri nifer

Dr Siegel yn cael ei orfodi i orymdeithio drwy München gan y Stormfilwyr, 10 Mawrth 1933.

o'i ddannedd a philen y glust (*eardrum*). Yna, gwnaethon nhw roi darn o bren o amgylch ei wddf yn dweud, 'Wna i byth gwyno wrth yr heddlu eto', a'i orymdeithio drwy München.

Gweithgareddau

1 Beth gallwn ni ei ddysgu o brofiad Michael Siegel am y newidiadau a oedd yn digwydd yn yr Almaen ddechrau 1933?

2 Beth yw'r nodweddion tebyg yn y lluniau ar y dudalen hon (Dr Siegel a Ffigur 3.1)? Yn eich barn chi, pa negeseuon roedd y Natsïaid yn eu hanfon i bobl yr Almaen drwy wahaniaethu yn erbyn Iddewon yr Almaen fel hyn?

Erledigaeth gynnar

Yn yr wythnosau a'r misoedd ar ôl i'r Natsïaid ddod i rym, gwnaeth miloedd o Iddewon adael yr Almaen, ond penderfynodd y rhan fwyaf ohonyn nhw aros. Doedd rhai ddim yn credu y byddai'r Natsïaid mewn grym am amser hir. Doedd eraill ddim eisiau gadael eu cartrefi a gadael gwlad roedden nhw'n ei charu.

Ar y dechrau, roedd yn ymddangos bod y Natsïaid yn poeni mwy am gael gwared ar eu **gwrthwynebwyr gwleidyddol**. Fodd bynnag, daeth yn amlwg iawn hefyd eu bod yn bwriadu rhoi eu credoau gwrth-Semitig ar waith. Daeth trais yn erbyn Iddewon yn rhywbeth fwyfwy cyffredin, a chyn bo hir roedd gwahaniaethu yn erbyn Iddewon yn gwbl dderbyniol.

Ffigur 3.1 Ceisiodd y Natsïaid berswadio pobl i beidio â defnyddio siopau a oedd yn eiddo i Iddewon. Yn y llun hwn, mae torf o Almaenwyr yn ymgasglu o flaen siop yn Berlin a oedd yn eiddo i Iddew (1 Ebrill 1933). Mae arwyddion ar y siop yn dweud wrth Almaenwyr i beidio â phrynu gan Iddewon.

Deddfau gwrth-Iddewig

Roedd **gwrth-Semitiaeth** yn rhan allweddol o ideoleg y Natsïaid. Er bod y Natsïaid yn ystyried amrywiol grwpiau fel gelynion a bygythiad (gweler tudalen 30), roedden nhw'n credu, a hynny'n anghywir, bod Iddewon yn beryglus iawn. Y rheswm dros hyn oedd bod bydolwg hiliol ac annymunol y Natsïaid yn golygu eu bod nhw'n gweld Iddewon fel grŵp israddol ond pwerus iawn, a oedd yn bygwth yr 'hil Ariaidd'.

Roedden nhw hefyd yn gwneud honiadau anwir eraill ynglŷn â nifer yr Iddewon yn yr Almaen, a'u dylanwad. O safbwynt hiliol y Natsïaid, roedd hyn yn peri 'problem': sut dylai Iddewon gael eu trin?

Yn ystod y rhan fwyaf o'r 1930au, roedd y Natsïaid yn canolbwyntio ar allgáu Iddewon o rannau o gymdeithas yr Almaen, drwy basio cannoedd o ddeddfau gwrth-Iddewig. Ym mis Medi 1935, aeth yr erledigaeth hon i gyfeiriad newydd gyda Deddfau Nürnberg. Bellach, roedd y Natsïaid yn dweud mai ei waed oedd yn diffinio Iddew, felly ni allai fod yn ddinesydd Almaenig.

Gweithgaredd

Dewiswch y pum deddf mwyaf arwyddocaol yn Ffigur 3.2, yn eich barn chi. Ysgrifennwch rai brawddegau yn esbonio eich dewisiadau.

I'ch helpu chi gyda'ch esboniad, ystyriwch beth roedd y deddfau hyn yn ei gymryd oddi ar Iddewon. Pa bethau fyddai Iddewon ddim yn cael eu gwneud bellach, a sut gallai hyn effeithio ar eu bywyd?

1933
Ebrill 7 Diswyddo Iddewon sy'n gweithio i'r llywodraeth.
Ebrill 7 Gwahardd Iddewon rhag gweithio yn y proffesiwn cyfreithiol.
Ebrill 25 Cyfyngu ar nifer y plant Iddewig sy'n cael eu caniatáu mewn ysgol.
Ebrill 25 Iddewon ddim yn cael bod yn aelodau o glybiau chwaraeon.
Gorffennaf 14 Iddewon yn yr Almaen a gafodd eu geni mewn gwledydd eraill ddim yn ddinasyddion Almaenig bellach.
Hydref 4 Gwahardd Iddewon rhag bod yn olygydd papur newydd.

1935
Mai 21 Swyddogion Iddewig yn cael eu **diarddel** o'r fyddin.
Medi 15 Deddfau Nürnberg: Iddewon yr Almaen ddim bellach yn ddinasyddion Almaenig. Iddewon ddim yn cael priodi na chael rhyw gyda phobl sydd ddim yn Iddewon.
Tachwedd 15 Ystyr Iddew yw unrhyw un roedd tri o'i deidiau a'i neiniau wedi eu geni mewn cymuned Iddewig grefyddol.

1936
Ebrill 3 Iddewon ddim yn cael bod yn filfeddyg bellach.
Hydref 15 Gwahardd athrawon Iddewig o ysgolion.

1937
Ebrill 9 Maer Berlin yn rhoi gorchymyn i ysgolion beidio â derbyn plant Iddewig mwyach.

1938
Ionawr 5 Iddewon ddim yn cael newid eu henw.
Ebrill 22 Gwahardd busnesau sy'n eiddo i Iddewon rhag newid enw.
Ebrill 26 Rhaid i Iddew sydd ag eiddo o werth ei reportio.
Gorffennaf 11 Gwahardd Iddewon o'r sba iechyd.
Awst 17 Rhaid i Iddewon sydd ag enw cyntaf sydd ddim yn 'Iddewig' fabwysiadu enw ychwanegol: 'Israel' i ddynion a 'Sara' i fenywod.
Hydref 3 Eiddo sy'n berchen i Iddewon yn cael ei roi i bobl sydd ddim yn Iddewon.
Hydref 5 Rhaid i Iddewon gyflwyno pob hen basbort, a fydd ond yn ddilys ar ôl cael ei stampio â'r llythyren 'J'.
Tachwedd 12 Iddewon ddim yn cael berchen ar fusnesau, na gwerthu nwyddau na gwasanaethau.
Tachwedd 15 Diarddel plant Iddewig o'r ysgol.
Tachwedd 29 Gwahardd Iddewon rhag cadw colomennod cludo.
Rhagfyr 3 Diddymu trwyddedau gyrru Iddewon.
Rhagfyr 4 Gwahardd Iddewon rhag mynd i'r sinema a'r theatr.

1939
Chwefror 21 Rhaid i Iddewon roi eu nwyddau aur, arian a diemwnt, ac eiddo gwerthfawr arall, i'r llywodraeth heb **iawndal**.
Ebrill 30 Llywodraethau lleol yn cael y pŵer i droi Iddewon allan o dai neu fflatiau rhent.
Awst 1 Gwahardd Iddewon rhag prynu tocynnau loteri.

Ffigur 3.2 Rhai o'r deddfau gwrth-Iddewig a gafodd eu pasio rhwng 1933 ac 1939.

Byw o dan y Natsïaid

Roedd yr holl ddeddfau gwrth-Iddewig a gafodd eu pasio gan y llywodraeth yn cael llawer o effaith ar fywydau pob dydd pobl. Roedd rhai o'r deddfau yn effeithio ar Iddewon yn economaidd – hynny yw, eu gallu i ennill arian. Roedd deddfau eraill yn atal Iddewon rhag byw fel pobl eraill, gan gyfyngu ar eu rhyddid. Gwnaeth yr holl ddeddfau helpu i greu awyrgylch o **ragfarn** a wnaeth ledaenu ar draws cymdeithas yr Almaen. Roedd Iddewon yn cael eu trin – a'u gwneud i deimlo – fel petai nhw'n 'wahanol' i'w cymdogion nad oedden nhw'n Iddewon.

Roedd propaganda gwrth-Iddewig (fel posteri, papurau newydd, darllediadau radio ac areithiau cyhoeddus) yn helpu i ledaenu negeseuon o gasineb. Dechreuodd rhai Almaenwyr nad oedden nhw'n Iddewon ddilyn arweiniad y Natsïaid a throi'n elyniaethus tuag at yr Iddewon. Gwnaeth eraill anwybyddu beth oedd yn digwydd, neu ddewis ei dderbyn er nad oedden nhw'n cytuno ag ef. Ceisiodd rhai pobl weithio yn erbyn y gwrth-Semitiaeth cynyddol drwy gynnig cefnogaeth neu gymorth i'r Iddewon roedden nhw'n eu hadnabod.

'Dim croeso i Iddewon yma'

Erbyn canol yr 1930au, dechreuodd arwyddion ffordd newydd ymddangos mewn nifer o drefi a phentrefi ledled yr Almaen. Er bod y geiriau yn wahanol, roedd y neges yr un fath bob tro: Dim croeso i Iddewon yma. Ffaith bwysig yw nad oedd unrhyw ddeddf yn ei gwneud yn ofynnol codi'r arwyddion hyn. Yn hytrach, y bobl leol oedd wedi dewis gwneud hynny.

Ffigur 3.3 'Dydyn ni ddim eisiau Iddewon yn Hildesheim' – arwydd y tu allan i Hildesheim, Sacsoni Isaf.

Ffynhonnell 3.1

Roedd fy chwaer a minnau yn arfer sleifio heibio i'r baneri mawr hynny a oedd ar draws y ddinas. A bydden ni'n ceisio peidio â'u gweld nhw, gan feddwl os nad oedden ni'n gallu eu gweld nhw, doedden nhw ddim yno go iawn. Ond roedden nhw yno. Ac yna, fesul dipyn, roedden nhw ym mhob man.

O dystiolaeth Gerda Haas

Doedd rhagfarn yn erbyn Iddewon ddim wedi'i chyfyngu i arwyddion ffordd yn unig. Roedd i'w gweld mewn sawl rhan arall o gymdeithas yr Almaen hefyd – o werslyfrau ysgol i barciau cyhoeddus; o gemau bwrdd i byllau nofio.

Ffynhonnell 3.2

Fi oedd yr unig Iddew yn yr ysgol. Roedden nhw'n addysgu 'theori hil' i ni bob bore. Er fy mod i'n gofyn i gael fy esgusodi o'r gwersi hyn, doedden nhw ddim yn gadael i mi. Yn hytrach, roeddwn i'n cael fy chwipio ddeg gwaith.

O dystiolaeth Uri Ben Ari

Ffynhonnell 3.3

Gêm fwrdd o'r enw *Juden Raus!* ('Iddewon Allan!'), a gafodd ei rhyddhau yn 1938. Gêm wedi'i lleoli mewn dinas, lle roedd chwaraewyr yn rasio i gasglu'r Iddewon ynghyd a'u symud y tu hwnt i waliau'r ddinas.

Ffynhonnell 3.4

Menyw ddienw yn eistedd ar fainc gyhoeddus gyda'r geiriau 'Iddewon yn Unig' arni, Awstria, Mawrth 1938.

Ffynhonnell 3.5

„Die Taufe hat aus ihm keinen Nichtjuden gemacht..."

Tudalen o lyfr gwrth-Semitig o'r enw *Trau keinem Fuchs auf grüner Heid und keinem Jud auf seinem Eid* (Dau o'r un anian yw'r llwynog a'r Iddew). Cafodd y llyfr ei ysgrifennu gan athro ifanc, a'i gyhoeddi yn 1936. Dosbarthwyd 100,000 o gopïau o'r llyfr i ysgolion yr Almaen. Yn y llyfr, roedd Iddewon yn cael eu portreadu yn annheg fel pobl nad oedd yn bosibl ymddiried ynddyn nhw. Yma, mewn gwawdlun gwrth-Semitig, mae Iddew wedi cael ei fedyddio gan ficer Cristnogol. Ond ar waelod y dudalen mae'r geiriau hyn: 'Er iddo gael ei fedyddio, roedd yn dal i fod yn Iddew ...' Roedd hyn yn un o gredoau pwysig y Natsïaid. Doedd dim gwahaniaeth beth roedd Iddew yn ei gredu – bydd yn Iddew am byth oherwydd ei 'waed'.

Gweithgareddau

Astudiwch y ffynonellau yn yr adran 'Dim croeso i Iddewon yma'.

1 Disgrifiwch y mathau gwahanol o wahaniaethu gwrth-Semitig sydd i'w gweld.

2 Esboniwch sut byddai pob un wedi gallu effeithio ar ddinasyddion yr Almaen, yn Iddewon neu'n bobl nad oedden nhw'n Iddewon.

Ymfudo

Wrth i'r 1930au fynd heibio, daeth yn amlwg y byddai'r Natsïaid mewn grym am beth amser. Eto i gyd, er bod rhai Iddewon wedi penderfynu **ymfudo** i wledydd eraill, aros wnaeth y rhan fwyaf. Pam na wnaeth rhagor o Iddewon adael?

Llwyddodd miloedd o bobl i ymfudo. Fel arfer, roedd y bobl hyn yn ifanc ac roedd ganddyn nhw adnoddau ariannol. Roedd arian yn ffactor pwysig: os oedd Iddew eisiau ymfudo, roedd rhaid iddo dalu treth arbennig wrth adael y wlad, ac ildio ei holl eiddo am ffi bach iawn. Ond nid oedd arian yn sicrhau dihangfa.

Prin iawn oedd y gwledydd a oedd yn fodlon derbyn ymfudwyr Iddewig. Roedd rhai pobl yn poeni y gallai derbyn mewnfudwyr greu mwy o gystadleuaeth am swyddi a gwneud pobl yn flin. Roedd rhai yn credu, yn annheg, y byddai gwrth-Semitiaeth yn cynyddu yn eu gwlad nhw os bydden nhw'n gadael Iddewon i mewn.

Gweithgaredd

Doedd penderfynu ymfudo ddim yn hawdd. Ac wrth gwrs, yn yr 1930au fyddai neb wedi gallu gwybod na rhagweld y byddai erledigaeth yn troi yn llofruddio torfol. Edrychwch ar y llun isod. Yn eich barn chi, beth ddylai'r teulu hwn ei wneud?

Trafodwch y cyfyng-gyngor a oedd yn wynebu'r teulu hwn gyda myfyriwr arall. Penderfynwch beth ddylen nhw ei wneud, yn eich barn chi. Ysgrifennwch baragraff yn esbonio eich penderfyniad.

Dim ond Almaeneg rydyn ni'n ei siarad. Byddai'n anodd dod o hyd i swydd mewn gwlad arall.

Mae pobl wedi ymosod arna i sawl gwaith am ddim rheswm. Mae hyn yn digwydd yn fwy a mwy aml.

Yn ddiweddar, mae rhywrai wedi dweud wrthym ni bod rhaid i ni newid ein henwau. Pam dylen ni?

Dydw i ddim yn ystyried fy hun yn Iddew, ond mae'r llywodraeth yn. Beth yw'r pwynt aros?

Mae eu hathrawon a'u cyd-ddisgyblion yn pigo ar ein plant ni'n rheolaidd.

Mae poeni am y dyfodol yn ein gwneud ni'n sâl.

Does dim llawer o gynilion gennyn ni.

Rydw i'n dal i obeithio y bydd pethau'n gwella yn yr Almaen.

Pa wlad fyddai'n ein gadael ni i mewn?

Rwy'n Almaenig ac yn caru'r Almaen. Rwy'n gwrthod gadael fy ngwlad.

Pe baen ni'n gadael, byddai'n rhaid i ni ddibynnu ar help perthnasau a ffrindiau i fyw. Bydden i ddim yn hoffi hynny.

Mae rhai o'n perthnasau yn teimlo'n rhy hen i adael. Beth fydd yn digwydd iddyn nhw pe baen ni'n gadael?

Roeddwn i'n arfer gweithio i'r llywodraeth, ond collais fy swydd am fy mod yn 'Iddew'.

3.2 Pa effaith roedd creu yr 'Almaen Fawr' wedi ei chael ar Iddewon?

Daeth y Natsïaid i rym gan addo y bydden nhw'n adeiladu Almaen fwy a chryfach. Fel llawer o Almaenwyr, roedd y Natsïaid yn credu bod yr Almaen wedi cael ei thrin yn annheg ar ddiwedd y Rhyfel Byd Cyntaf. Roedden nhw eisiau adennill tir roedden nhw'n credu oedd yn berchen i'r Almaen, a dod â'r holl bobl oedd yn siarad Almaeneg ynghyd i fyw mewn 'Almaen Fawr'.

I'r Natsïaid, byddai'r Almaen Fawr hon yn Gymuned y Bobl (*Volksgemeinschaft*) genedlaethol – cymdeithas wedi'i threfnu o amgylch syniadau yn ymwneud â 'hil' (gweler tudalen 21). Ffaith bwysig iawn yw nad oedd y Natsïaid yn credu y gallai, nac y dylai, Iddewon – ymhlith eraill – fod yn rhan o'r Almaen newydd hon.

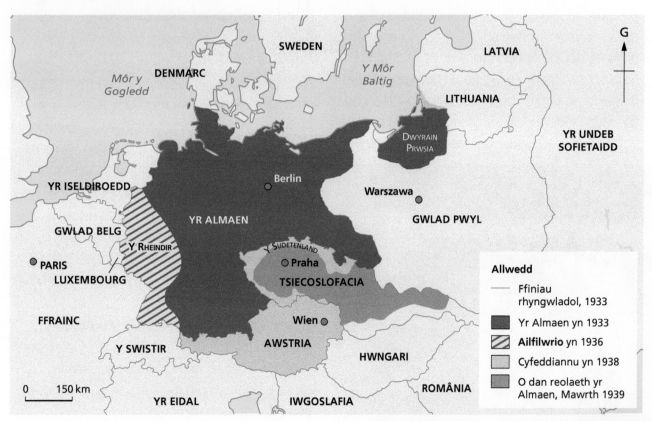

Ffigur 3.4 Ehangiad yr Almaen rhwng 1933 ac 1939.

Digwyddiadau yn 1938–39

Erbyn diwedd yr 1930au, roedd llywodraeth y Natsïaid yn teimlo'n ddigon cryf i gymryd camau ymosodol yn erbyn gwledydd eraill. O fis Mawrth 1938 ymlaen, daeth Awstria ac yna ardaloedd o Tsiecoslofacia yn rhan o'r Almaen. Bob tro y byddai ffiniau'r Almaen yn ehangu, byddai rhagor o Iddewon yn dod o dan reolaeth y Natsïaid.

39

Yr *Anschluss*

Ar 12 Mawrth 1938, aeth byddin yr Almaen i mewn i Awstria. Roedd y rhan fwyaf o bobl Awstria yn eu croesawu. Gofynnwyd i bobl Awstria a oedden nhw eisiau bod yn rhan o'r Almaen. Roedd y mwyafrif helaeth o blaid hyn, felly daeth Awstria yn rhan swyddogol o'r Almaen. Yr enw ar hyn oedd yr *Anschluss*.

Ar yr pryd, roedd 180,000 o Iddewon yn byw yn Awstria. Cafodd Iddewon eu targedu gan y Natsïaid a phobl Awstria ar unwaith. Cafodd yr holl ddeddfau gwrth-Iddewig a oedd wedi'u cyflwyno yn yr Almaen ers 1933 eu rhoi ar waith yn Awstria. Ond doedd hynny ddim yn ddigon i'r Natsïaid. Gwnaeth y llywodraeth newydd gymryd rheolaeth ar siopau, busnesau a ffatrïoedd a oedd yn eiddo i Iddewon. Yn y cyfamser, roedd pobl yn ymosod yn aml ar ddynion, menywod a phlant Iddewig. Roedd eu heiddo yn cael ei ddwyn, ac roedden nhw'n cael eu gorfodi i wneud pethau a fyddai'n codi cywilydd arnyn nhw, fel sgrwbio'r strydoedd neu fwyta gwair o'r parc. Erbyn mis Awst, roedd y Natsïaid wedi cymryd camau i geisio ei gwneud yn haws i Iddewon oedd eisiau ymfudo adael y wlad.

Gweithgaredd

Astudiwch Ffigurau 3.5, 3.6 a 3.7. Beth mae'r ffotograffau hyn yn ei ddweud wrthyn ni am erledigaeth yr Iddewon yn 1938?

Kristallnacht

Ar ôl yr *Anschluss*, roedd trais yn erbyn Iddewon yn digwydd yn fwyfwy rheolaidd ar draws yr Almaen Fawr. Yn y cyfamser, roedd y llywodraeth yn ceisio dod o hyd i ffyrdd newydd o gymryd arian, eiddo a busnesau oddi ar yr Iddewon.

Ar ôl araith gan Josef Goebbels (gweler tudalen 23), ar 9 Tachwedd 1938, gwnaeth aelodau o'r blaid Natsïaidd, yr SA a'r SS arwain ton o drais creulon yn erbyn Iddewon, eu cartrefi a'u busnesau a wnaeth bara drwy'r nos ac i mewn i'r diwrnod canlynol.

Cyn bo hir, roedd yr Almaenwyr wedi enwi'r **pogrom** hwn ym mis Tachwedd yn *Kristallnacht* – 'noson y grisial', neu'r torri gwydr. Gwnaeth llawer o bobl gymryd rhan yn y trais, ond roedd gan y llywodraeth rôl hanfodol i'w chwarae.

Cafodd yr heddlu orchymyn i beidio ag ymyrryd wrth i filoedd o siopau, synagogau a chartrefi ar draws yr Almaen Fawr gael eu dinistrio neu eu difrodi. Cafodd cymunedau Iddewig eu gorfodi gan llywodraeth y Natsïaid i dalu am yr holl ddifrod.

Ffigur 3.5 Iddewon yn cael eu gorfodi i sgrwbio'r strydoedd yn Wien ar ôl yr *Anschluss*, dan oruchwyliaeth aelodau Mudiad Ieuenctid Hitler.

Yn y cyfamser, cafodd bron i 100 o Iddewon eu lladd. Cafodd tua 30,000 o ddynion Iddewig eu harestio a'u rhoi mewn **gwersylloedd crynhoi**. Yno, roedd pobl yn ymosod arnyn nhw ac yn eu harteithio, a doedden nhw ddim yn cael eu rhyddhau oni bai eu bod nhw'n addo gadael yr Almaen.

Rhywbeth i'w ystyried

Pam fyddai haneswyr, o bosibl, yn disgrifio *Kristallnacht* fel trobwynt yn y ffordd roedd y Natsïaid yn erlid Iddewon yr Almaen? Ym mha ffordd roedd *Kristallnacht* yn wahanol i'r ffyrdd roedd pobl wedi gwahaniaethu yn erbyn Iddewon yr Almaen cyn 1938?

Ffigur 3.6 Busnesau a oedd yn eiddo i Iddewon wedi cael eu difrodi yn ystod *Kristallnacht*.

Ffigur 3.7 Trigolion Graz, Awstria, yn gwylio wrth i synagog Iddewig losgi.

Ffynhonnell 3.6

Daethon ni [nôl] adref a doedd dim cadair i mam-gu eistedd arni ... Aeth fy modryb a finnau ati i glirio'r gwydr, i geisio cael trefn ar bethau. Aeth mam-gu a dad-cu drws nesaf. Agorodd y teulu Cristnogol y drws a'u croesawu a rhoi brecwast iddyn nhw.

O dystiolaeth Marga Randall

Ffynhonnell 3.7

Pan edrychais drwy'r ffenestr, roedd tua wyth neu ddeg o ddynion [SA] yn sefyll, yn cario gynau, cyllyll a bwyeill ... Cyrhaeddodd y dorf ar ôl yr SA, ac yna'r plant ysgol; aeth pob criw ati i ddinistrio a dwyn rhagor o bethau.

Dyn busnes Iddewig yn cofio *Kristallnacht*

Cafodd unrhyw obaith a oedd gan Iddewon y byddai pethau'n gwella ei chwalu gan ddigwyddiadau 1938. Ceisiodd cannoedd ar filoedd o bobl chwilio am ffordd o adael yr Almaen Fawr. Fodd bynnag, roedd hyn yn dal i fod yn anodd iawn.

Gweithgaredd

Sut mae Ffynonellau 3.6 a 3.7 yn disgrifio ymateb pobl gyffredin yr Almaen i ddigwyddiadau *Kristallnacht*?

Ffigur 3.8 Galw'r cofrestr yng ngwersyll crynhoi Buchenwald, ar gyfer carcharorion (Iddewon yn bennaf) a gafodd eu harestio yn ystod *Kristallnacht*; Yr Almaen 1938.

Cynhadledd Evian

Ym mis Gorffennaf 1938, daeth swyddogion o 32 gwlad – gan gynnwys Prydain ac UDA – ynghyd i gyfarfod yn Evian, Ffrainc. Gwnaethon nhw drafod ffyrdd o helpu'r miloedd o Iddewon a oedd yn ceisio gadael yr Almaen. Gwnaeth pob un ohonyn nhw feirniadu gweithredoedd y Natsïaid a mynegi eu cydymdeimlad tuag at yr Iddewon. Fodd bynnag, heblaw am Weriniaeth Dominica, doedd neb yn fodlon codi'r cyfyngiadau o ran nifer yr Iddewon roedden nhw'n fodlon eu derbyn i'w gwlad.

Ar ôl *Kristallnacht*, gwnaethpwyd rhai ymdrechion i achub Iddewon. Ond er bod digwyddiadau treisgar 1938 wedi syfrdannu'r byd, wnaeth neb wneud llawer mwy i helpu Iddewon yr Almaen.

Un enghraifft o weithred i achub yr Iddewon oedd y *Kindertransport* (gweler tudalen 82). Gwnaeth y *Kindertransport* olaf adael Berlin ar 1 Medi 1939 – y diwrnod y gwnaeth yr Almaen oresgyn Gwlad Pwyl. Ddeuddydd yn ddiweddarach, gwnaeth Prydain a Ffrainc ddatgan eu bod yn mynd i ryfel. Gwnaeth y rhan fwyaf o wledydd gau eu ffiniau yn llwyr yn ystod y rhyfel – doedd dim cyfle i ddianc bellach i'r Iddewon hynny a oedd yn dal ar ôl yn yr Almaen Fawr.

Rhywbeth i'w ystyried

Mae rhyfel ac erchyllterau dynol eraill yn aml yn creu **ffoaduriaid** – pobl sy'n cael eu gorfodi i adael eu cartrefi gan eu bod yn ofni am eu bywydau. Pa gyfrifoldeb sydd gan y gymuned ryngwladol tuag at ffoaduriaid?

Nawr eich bod chi wedi astudio'r uned hon, gwiriwch eich gwybodaeth yma: **www.ucl.ac.uk/holocaust-education**

Datblygu gwybodaeth a dealltwriaeth

Er mwyn gwella eich gwybodaeth a herio camddealltwriaethau cyffredin, byddwch chi'n dysgu am y canlynol:

- Y ffaith bod Iddewon wedi cael profiadau gwahanol yn y rhannau gwahanol o Ewrop a oedd wedi'u meddiannu.
- Beth oedd **getos**, pam cawson nhw eu creu, a sut fath o amodau byw oedd ynddyn nhw.
- Sut gwnaeth yr Almaen oresgyn yr Undeb Sofietaidd a pham, a natur greulon y rhyfel yn y Dwyrain.
- Sut cafodd y mwyafrif o Iddewon eu lladd yn Nwyrain Ewrop rhwng dechrau 1942 a chanol 1943.
- Pwy oedd yr ***Einsatzgruppen*** a sut roedden nhw'n gysylltiedig â llofruddiaeth tua 2.2 miliwn o Iddewon.
- Pam gwnaeth y Natsïaid greu **gwersylloedd marwolaeth**, ble roedd y gwersylloedd hyn, a sut cafodd Iddewon Ewrop eu llofruddio ynddyn nhw.
- Y ffaith bod pobl ledled Ewrop yn gwybod bod Iddewon yn cael eu llofruddio.
- Pryd daeth yr Holocost i ben, a sut.

Meddwl yn hanesyddol

Arwyddocâd

Ewch ati i ymestyn y llinell amser gwnaethoch chi ei llunio yn yr uned flaenorol, hyd at ddiwedd yr Ail Ryfel Byd yn 1945. Ar eich llinell amser, nodwch yr adegau pwysig yn hanes **erledigaeth** a llofruddiaeth Iddewon Ewrop rhwng 1939 ac 1945. Esboniwch eich rhesymau dros ddewis y digwyddiadau rydych chi wedi eu cynnwys.

Ar ôl chi gwblhau eich llinell amser, defnyddiwch hi i ateb y cwestiynau canlynol:

- Beth wnaeth newid o ran y ffordd roedd Iddewon yn cael eu trin? Pa ddigwyddiadau wnaeth achosi'r newidiadau hyn?
- Pa mor bwysig oedd goresgyniad yr Undeb Sofietaidd?

Trafod

- Sut mae esbonio profiadau gwahanol Iddewon yn ystod yr Holocost?
- Ai un digwyddiad oedd yr Holocost, ynteu proses?

Y cwestiwn MAWR: Sut digwyddodd yr Holocost a pham?

Edrychwch drwy eich nodiadau. Wrth i chi astudio Uned 4, pa wybodaeth, syniadau neu ddealltwriaeth newydd sydd gennych chi o ran y cwestiwn mawr hwn?

4.1 Beth ddigwyddodd i Iddewon Ewrop ar ddechrau'r rhyfel (1939–41)?

Ar 1 Medi 1939, wythnos ar ôl llofnodi **cytundeb niwtraliaeth** gyda'r Undeb Sofietaidd, gwnaeth yr **Almaen Natsïaidd** oresgyn Gwlad Pwyl. Ddeuddydd yn ddiweddarach, fe wnaeth Prydain a Ffrainc gyhoeddi rhyfel yn erbyn yr Almaen. Fodd bynnag, ymhen rhai wythnosau roedd Gwlad Pwyl wedi cael ei threchu – yn y gorllewin gan fyddin gryf yr Almaen, ac yn y dwyrain gan

yr Undeb Sofietaidd, a wnaeth ymosod ar y wlad ar 17 Hydref. Yn y naw mis ar ôl goresgyn Gwlad Pwyl ym mis Medi 1939, aeth byddin yr Almaen ati'n gyflym i orchfygu llawer o orllewin a gogledd Ewrop.

Ym mhob man lle roedd y Natsïaid a'u **cynghreiriaid** yn rheoli, roedden nhw'n gwahaniaethu yn erbyn Iddewon. Er enghraifft, roedd yn rhaid i Iddewon mewn sawl gwlad wisgo seren ar eu dillad, neu fand braich a oedd yn dangos eu bod yn Iddewon. Ond doedd Iddewon ddim yn cael eu trin yr un fath ym mhob un o'r gwledydd o dan reolaeth neu ddylanwad y Natsïaid. Mae'r astudiaethau achos ar dudalen 45 yn rhoi enghreifftiau o sut roedd Iddewon yn cael eu trin yn rhai o'r gwledydd hyn.

Gweithgaredd

Darllenwch yr astudiaethau achos o wledydd gwahanol ar dudalen 45. Beth sy'n debyg ac yn wahanol o ran y ffordd cafodd Iddewon eu trin mewn gwledydd Ewropeaidd gwahanol?

Ffigur 4.1 Ehangiad yr Almaen, Medi 1939–Mehefin 1941.

Yr Iseldiroedd

Trechwyd: Mai 1940

Poblogaeth Iddewig: tua 160,000

Ar ôl ildio, cafodd yr Iseldiroedd ei goresgyn gan yr SS. Diswyddwyd Iddewon o'r gwasanaeth sifil ac roedd rhaid i fusnesau gofrestru eu hasedau. Cafodd myfyrwyr Iddewig eu diarddel o ysgolion a phrifysgolion. Ym mis Ionawr 1941, roedd rhaid i bob Iddew gofrestru fel Iddew. Ym mis Chwefror 1941, arestiwyd cannoedd o Iddewon ifanc a'u hanfon i wersylloedd crynhoi yn yr Almaen.

Ffrainc

Trechwyd: Mehefin 1940

Poblogaeth Iddewig: tua 350,000

Roedd byddin yr Almaen wedi meddiannu gogledd a gorllewin Ffrainc. Yn ne a dwyrain Ffrainc, sefydlwyd llywodraeth (Ffrengig) i gydweithio gyda'r Natsïaid (o'r enw 'llywodraeth Vichy'). Ym mis Mawrth 1941, cymerwyd eiddo Iddewon oddi arnyn nhw, gan adael miloedd yn ddigartref. Yn yr hydref, pasiwyd deddfau gwrth-Semitig yn y ddwy ran o Ffrainc, yn ogystal â'i threfedigaethau yng ngogledd Affrica – Moroco ac Algeria. Doedd bellach dim hawl gan Iddewon i weithio fel meddygon, cyfreithwyr, athrawon, ym maes diwydiant a masnach, y gwasanaeth sifil na'r fyddin.

Denmarc

Trechwyd: Ebrill 1940

Poblogaeth Iddewig: tua 7,500

Gwnaeth y Natsïaid ganiatáu i lywodraeth Denmarc barhau i reoli'r wlad, gan fod pobl Denmarc yn 'gyd-Ariaid'. Amddiffyn ei dinasyddion Iddewig wnaeth Denmarc, gan adael iddyn nhw barhau i fyw fel ag yr oedden nhw cyn i'r Almaen feddiannu'r wlad.

România

Ymunodd â phwerau'r Axis: Tachwedd 1940

Poblogaeth Iddewig: tua 600,000

Ym mis Medi 1940, daeth grŵp o swyddogion milwrol ffasgaidd o'r enw'r Gwarchodlu Haearn (*Iron Guard*) i rym yn România, gan ymuno â'r rhyfel. Cyflwynodd y llywodraeth fesurau gwrth-Semitig, a chymryd eiddo Iddewon oddi arnyn nhw. Roedd y Gwarchodlu Haearn yn ymosod ar Iddewon yn y stryd, gan ddwyn eu heiddo ac weithiau eu lladd. Ym mis Ionawr 1941, cafodd dwsinau o sifiliaid Iddewig eu llofruddio yn Bucureşti.

Yr Almaen

Poblogaeth Iddewig: tua 243,000

Pan ddechreuodd y rhyfel, collodd y rhan fwyaf o Iddewon yr Almaen eu swyddi. Roedd rhaid iddynt uddhau i **gyrffyw** llym, a doedd dim hawl ganddynt fynd i rannau penodol o sawl dinas. Roeddent hefyd yn cael **dognau** bwyd llai, ac yn cael prynu o siopau penodol ar amseroedd penodol yn unig.

Hwngari

Ymunodd â phwerau'r Axis: Tachwedd 1940

Poblogaeth Iddewig: tua 825,000

Rhwng 1938 ac 1941, pasiodd y llywodraeth ddeddfau yn erbyn Iddewon. Doedd Iddewon ddim yn cael priodi pobl nad oedden nhw'n Iddewon, a gwaharddwyd Iddewon rhag gweithio mewn amrywiol swyddi. Yn 1939, sefydlwyd gwasanaeth llafur gorfodol ar gyfer dynion Iddewig. Ar ôl i Hwngari ymuno â phwerau'r Axis, anfonwyd y llafurwyr i helpu ymdrech y rhyfel, a bu farw o leiaf 27,000 o ganlyniad.

Gan fod pobl a ffiniau wedi symud cymaint yn ystod y cyfnod, mae'n anodd gwybod yr union ffigurau. Dyma amcangyfrifon yn seiliedig ar wybodaeth gan United States Holocaust Memorial Museum.

4.2 Beth oedd getos, a pham cawson nhw eu creu?

Ym mis Medi 1939, gwnaeth byddin yr Almaen ymosod ar Wlad Pwyl, a dechreuodd yr Ail Ryfel Byd. Yn fuan ar ôl i fyddin yr Almaen oresgyn Gwlad Pwyl o'r gorllewin, gwnaeth y fyddin Sofietaidd oresgyn y wlad o'r dwyrain. Roedd hwn yn ymosodiad dinistriol, a gwnaeth cannoedd ar filoedd o bobl Pwylaidd ddioddef a marw. Cyn bo hir, roedd yr Almaen a'r Undeb Sofietaidd wedi goresgyn Gwlad Pwyl i gyd ac wedi rhannu'r wlad rhyngddyn nhw.

Cafodd y rhannau o Wlad Pwyl ym meddiant y Natsïaid ei galw'n 'Llywodraeth Gyffredinol'.

Roedd tua 2 filiwn o Iddewon yn ardal y Llywodraeth Gyffredinol. Ym mydolwg hiliol y Natsïaid, roedd y nifer mawr o Iddewon Pwylaidd yn broblem fawr. Yn ystod cyfnod o ryfel, roedd yr Almaenwyr yn ystyried yr Iddewon yn fygythiad mwy fyth i'w diogelwch. Felly, roedden nhw eisiau eu rheoli. Roedd y Natsïaid hefyd yn credu, a hynny yn anghywir, bod Iddewon yn lledaenu afiechydon, ac felly dylen nhw gael eu cadw ar wahân i bobl eraill.

Er mwyn ceisio delio â'r hyn roedd y Natsïaid yn ei gweld fel 'problem' yr Iddewon yn y

Ffigur 4.2 Iddewon mewn rhes yn aros i symud i geto Warszawa. Dim ond beth roedden nhw'n gallu ei gario roedden nhw'n cael mynd gyda nhw (Tachwedd 1940).

rhannau o Wlad Pwyl wedi'u meddiannu, rhoddodd Heydrich orchymyn i symud Iddewon i ardaloedd penodol o drefi a dinasoedd a fyddai'n troi yn getos. Cafodd cymunedau cyfan eu difa a dinistriwyd y **shtetls**. Cafodd getos eu hynysu oddi wrth weddill y byd, a doedd yr Iddewon a oedd yn byw yno ddim yn gallu gadael na chysylltu â phobl ar y tu allan.

Yn ddiweddarach, wrth i'r Natsïaid oresgyn gwledydd eraill yn nwyrain Ewrop a'u meddiannu, cafodd miloedd o getos eraill eu creu. Roedd getos yn cael eu hystyried yn ateb dros dro i'r hyn roedd y Natsïaid yn ei weld fel 'problem' yr Iddewon. Erbyn hynny, roedd y Natsïaid

eisiau cael gwared ar Iddewon o Ewrop yn gyfan gwbl, ond doedden nhw ddim yn siŵr sut i wneud hynny. Un o'r opsiynau oedd symud yr Iddewon i ynys Madagascar (oddi ar arfordir de-ddwyrain Affrica). Doedd cynllun Madagascar ddim yn newydd; cafodd ei gynnig am y tro cyntaf yn 1933.

Gweithgareddau

1 Pam gwnaeth y Natsïaid greu getos ar ôl goresgyn Gwlad Pwyl?

2 Pam mai 'ateb dros dro' oedd y getos? Beth oedd cynllun y Natsïaid ar gyfer yr Iddewon ar y pwynt hwn yn y rhyfel?

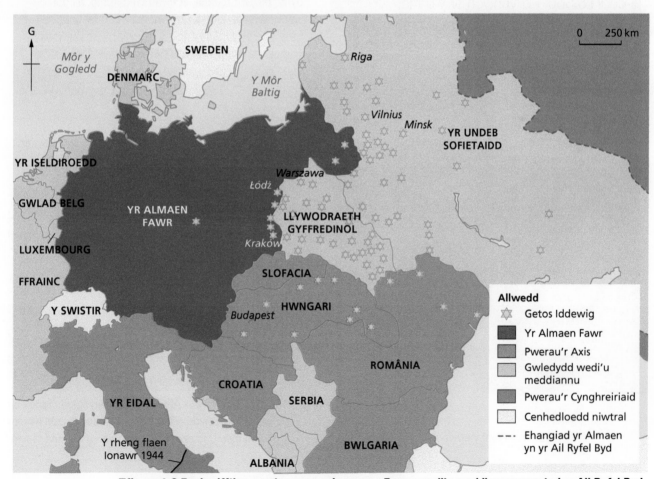

Ffigur 4.3 Enghreifftiau o getos mewn rhannau o Ewrop wedi'u meddiannu yn ystod yr Ail Ryfel Byd.

Geto Warszawa

Geto Warszawa yng Ngwlad Pwyl oedd y geto mwyaf yn y rhannau o Ewrop ym meddiant y Natsïaid. Roedd mewn rhan fach iawn o'r ddinas – ychydig o strydoedd yn unig – ond cafodd tua 460,000 o Iddewon eu symud o'u cartrefi mewn ffordd dreisgar, a'u gorfodi i fyw yno.

Gweithgaredd

Cafodd geto Warszawa ei greu ym mis Hydref 1940. Ym mis Ionawr 1941, bu farw 898 o Iddewon yno. Erbyn mis Awst 1941, roedd nifer y marwolaethau wedi codi i 5,560. Edrychwch ar y lluniau a'r ffynonellau ar y dudalen hon. Yn eich barn chi, pam gwnaeth y gyfradd marwolaethau yn geto Warszawa gynyddu mor ddramatig?

Ffynhonnell 4.1

Roedd y geto mor ddychrynllyd o orlawn, roedd rhwng saith a naw o bobl ar gyfartaledd yn rhannu pob ystafell, gan olygu bod pobl yn byw gyda dieithriaid.

Sheryl Silver Ochayon,
addysgwr yr Holocost

Ffynhonnell 4.2

O'm cwmpas ym mhob man rwy'n clywed pobl yn galw am fara. Mae plentyn bychan yn crynu drosto, yn estyn ei law esgyrnog ac yn crefu [am fwyd]. Mae ei fam wedi marw o newyn ac mae'r Almaenwyr wedi cipio ei dad i'w orfodi i weithio. A dyma fenyw druenus, ei dillad yn garpiog, a'i bol wedi chwyddo gan newyn, yn gorwedd fel petai'n farw yn y stryd. Alla i ddim edrych arni ac rwy'n troi fy mhen ... Dyma'r lluniau rwy'n eu gweld yn y stryd pob dydd.

O ddyddiadur Pepa Bergman, 14 oed

Ffigur 4.4 Plant yn llwgu yn geto Warszawa.

Ffigur 4.5 Milwyr Almaenig yn trawsgludo Iddewon o'r geto i'w defnyddio fel llafur gorfodol. Roedd hyn yn golygu gweithio oriau hir o dan amodau anodd iawn.

Cynghorau Iddewig

Rhoddodd yr Almaenwyr orchymyn i greu cynghorau Iddewig (*Juderäte*) yn y getos. Pwyllgorau o ddynion Iddewig pwysig oedd y rhain. Roedd rhaid iddyn nhw 'redeg' y geto ac ufuddhau i orchmynion y Natsïaid. Roedden nhw hefyd yn gyfrifol am drefnu bywyd yn y getos. Er enghraifft, roedden nhw'n dosbarthu dognau bwyd, meddyginiaethau a chyflenwadau eraill, ac yn trefnu'r sefyllfa o ran tai. Roedd y cynghorau Iddewig yn cael cymorth gan yr heddlu Iddewig, a oedd yn gyfrifol am gadw trefn yn y getos. Roedd y cynghorau a'r heddlu Iddewig yn wynebu sefyllfa amhosibl.

Roedd y Natsïaid yn defnyddio'r cynghorau Iddewig fel ffordd o reoli'r boblogaeth yn y getos yn well.

Fel hyn, doedd dim rhaid iddyn nhw ddefnyddio llawer o adnoddau i blismona'r Iddewon, gan fod y cynghorau yn gwneud y gwaith hwn ar eu rhan. Yn ogystal, roedd y cynghorau Iddewig yn rhoi ymdeimlad ffug o reolaeth dros eu bywyd eu hun i drigolion y getos.

Gweithgaredd

Ymchwiliwch i hanes Chaim Rumkowski, arweinydd cyngor Iddewig geto Łódz. Beth sy'n debyg ac yn wahanol rhwng Czerniakow a Rumkowski? Mae arweinwyr cynghorau Iddewig wedi bod yn gymeriadau dadleuol. Pam, o bosibl?

Adam Czerniakow

Adam Czerniakow oedd cadeirydd cyngor Iddewig geto Warszawa. Roedd ei waith yn cynnwys darparu bwyd a gwaith, a gwasanaethau gofal iechyd, tai a hylendid i drigolion y geto. Roedd yn cydweithio â'r Natsïaid, gan geisio cadw cymaint â phosibl o faterion y geto allan o'u dwylo. Roedd yn credu y byddai mwy o fywydau yn cael eu hachub fel hyn. Yn ddiweddarach yn y rhyfel, pan ddechreuodd y Natsïaid redeg y gwersylloedd marwolaeth (gweler tudalen 57), cafodd Czerniakow ei orchymyn i hel yr Iddewon at ei gilydd er mwyn eu **'adleoli'** yn y Dwyrain. Roedd Czerniakow yn gwybod y byddai hynny'n

Cyngor Iddewig geto Warszawa mewn cyfarfod. Adam Czerniakow yw'r trydydd o'r chwith.

golygu marwolaeth i'r Iddewon hynny. Gwnaeth wrthod y gorchymyn a lladd ei hun. Yn ôl y sôn, gadawodd nodyn i'w wraig yn esbonio ei weithredoedd: 'Maen nhw'n mynnu fy mod i'n lladd plant fy mhobl â'm dwylo fy hun. Does dim ar ôl i mi ei wneud ond marw.'

4.3 Beth oedd yr 'Holocost drwy fwledi'?

Pan ddechreuodd yr Ail Ryfel Byd, roedd yr Almaen a'r Undeb Sofietaidd yn gynghreiriaid annisgwyl. Er eu bod nhw'n gweld y byd mewn ffyrdd hollol wahanol, gwnaethon nhw oresgyn Gwlad Pwyl gyda'i gilydd – gan rannu'r wlad yn ddwy. I'r Natsïaid, fodd bynnag, roedd y gynghrair yn un dros dro yn unig: roedden nhw'n dal am gipio grym mewn rhannau mawr o'r Undeb Sofietaidd, er mwyn cael 'lle i fyw'. Ac roedden nhw'n dal i gredu bod pobl yr Undeb Sofietaidd yn 'isddynol'.

Ddydd Sul, 22 Mehefin 1941, gwnaeth yr Almaen dorri'r cytundeb niwtraliaeth a goresgyn yr Undeb Sofietaidd. Enw'r goresgyniad hwn oedd Ymgyrch Barbarossa. Ar 12 Gorffennaf 1941, gwnaeth yr Undeb Sofietaidd a Phrydain gyhoeddi cynghrair yn erbyn yr Almaen a **phwerau'r Axis**.

Rhyfel hiliol

Roedd y Natsïaid yn credu bod y rhan fwyaf o'r bobl oedd yn byw yn yr Undeb Sofietaidd, y Slafiaid, yn bobl israddol, o hil 'isddynol'. O ganlyniad, roedd y Natsïaid yn credu nad oedd rhaid dilyn rheolau arferol rhyfel. Byddai'r rhyfel yn erbyn yr Undeb Sofietaidd yn cyflawni dau bwrpas.

1 Byddai'n galluogi'r Natsïaid i ennill tir ac adnoddau, fel bwyd ac olew.
2 Byddai'n dinistrio comiwnyddiaeth. Roedd y Natsïaid yn credu, a hynny yn anghywir, mai Iddewon oedd yn arwain comiwnyddiaeth.

Roedd Ymgyrch Barbarossa yn greulon iawn, a lladdwyd miliynau o sifiliaid. Cafodd miloedd o bobl Roma a Sinti eu lladd hefyd, drwy saethu torfol.

Ffigur 4.6 Milwyr o'r Almaen yn meddiannu pentref ar dân yn Rwsia, haf 1941.

Gorchmynion i lofruddio

Ar 6 Mehefin 1941, gwnaeth Pennaeth yr Heddlu Diogelwch, Reinhard Heydrich, roi gorchymyn arbennig i fyddin yr Almaen. Roedd unrhyw un a oedd yn cael ei amau o fod yn swyddog **comiwnyddol**, neu'n gweithio i'r llywodraeth Sofietaidd, naill ai i gael ei saethu neu ei roi yn nwylo unedau arbennig o'r enw *Einsatzgruppen*.

Ychydig wythnosau yn ddiweddarach, rhoddodd Heydrich gyfarwyddiadau i'r *Einsatzgruppen* lofruddio unrhyw wleidyddion comiwnyddol a phob Iddew a oedd yn cael ei gyflogi gan y Blaid Gomiwnyddol neu'r llywodraeth.

Gwnaeth yr *Einsatzgruppen* ddehongli cyfarwyddiadau Heydrich fel gorchymyn i lofruddio pob dyn Iddewig. Yn fuan iawn, fodd bynnag, cafodd menywod a phlant eu targedu hefyd, ac erbyn canol mis Awst roedden nhw'n cael eu llofruddio hefyd.

Yr 'Holocost drwy fwledi'

Erbyn haf 1942, roedd dull newydd o lofruddio yn cael ei ddefnyddio yn y rhannau o Wlad Pwyl ym meddiant yr Almaen: gwersylloedd marwolaeth (gweler Pennod 4.4). Ond yn yr Undeb Sofietaidd, gwnaeth yr *Einsatzgruppen* barhau i ladd pobl yn agos at eu cartrefi, wyneb-yn-wyneb, dros y ddwy flynedd nesaf.

Erbyn 1944, yr amcangyfrif yw eu bod nhw wedi llofruddio tua 2,200,000 o bobl. Yr enw a roddwyd ar y polisi hwn o saethu torfol oedd 'Holocost drwy fwledi'.

Gweithgareddau

1 Pam roedd y goresgyniad ar yr Undeb Sofietaidd mor greulon?
2 Edrychwch eto ar Benodau 4.1 a 4.2. Beth oedd yn debyg ac yn wahanol rhwng profiadau Iddewon a oedd yn byw yn nwyrain Ewrop ac Iddewon a oedd yn byw yng ngorllewin Ewrop? Ble roedd yr Iddewon yn wynebu'r perygl mwyaf rhwng 1939 ac 1941?

FFEITHIAU AC YSTADEGAU

Yr *Einsatzgruppen*

- Roedd pedwar *Einsatzgruppen* – A, B, C a D.

- Eu prif swyddogaeth yn yr Undeb Sofietaidd oedd llofruddio dynion, menywod a phlant Iddewig.

- Ym mhob *Einsatzgruppe* roedd rhwng 600 a 1,000 o ddynion. Yna, roedd y dynion hyn yn cael eu rhannu yn grwpiau llai.

- Roedden nhw'n cynnwys dynion o lu arfog SS o'r enw Waffen SS, ac o wasanaethau diogelwch yr Almaen.

- Roedden nhw'n cael cymorth gan filoedd o bobl eraill – o bosibl cynifer â chwarter miliwn o bobl, gan gynnwys byddin yr Almaen, unedau heddlu'r Almaen, a phobl leol a oedd yn byw yn nwyrain Ewrop.

- Roedd *Einsatzgruppen* A, B ac C ynghlwm wrth grŵp byddin ac roedden nhw'n gweithio ar draws yr Undeb Sofietaidd. Aeth *Einsatzgruppe* D i dde Ukrain.

- Roedden nhw'n anfon adroddiadau rheolaidd i Heydrich.

- Roedden nhw'n annog pobl leol i ddefnyddio trais yn erbyn eu cymdogion Iddewig.

- Cynhaliodd yr *Einsatzgruppen* ddau 'gyrch' llofruddio. Roedd y cyntaf rhwng mis Mehefin 1941 a gaeaf 1941. Llofruddiwyd tua 500,000 o bobl ar yr adeg hwn. Dechreuodd yr ail 'gyrch' yng ngwanwyn 1942, gan bara tan yr haf. Yn ystod yr ail 'gyrch', cafodd miloedd o heddweision Almaenig heb fod yn filwrol eu hanfon i gefnogi'r *Einsatzgruppen*.

Roedd y broses lofruddio yn tueddu i ddilyn patrwm arferol:

Wrth gyrraedd tref neu bentref, roedd Iddewon yn cael eu gorchymyn i ddod at ei gilydd mewn lle penodol, ar amser penodol, ar ddyddiad penodol. Dywedwyd wrthyn nhw am ddod â'u heiddo a'u dillad. Os byddai angen, byddai'r *Einsatzgruppen* yn gofyn i'r maer lleol am restr o'r Iddewon a oedd yn byw yn y dref neu'r pentref.

Byddai aelodau o'r *Einsatzgruppen* yn amgylchynu'r dref neu'r pentref, gan atal yr Iddewon rhag dianc. Wrth i Iddewon ddod at ei gilydd yn y man ymgynnull, byddai tai yn cael eu chwilio i wneud yn siŵr nad oedd neb yn cuddio. Byddai'r *Einsatzgruppen* yn mynd ag Iddewon mewn grwpiau i safle ar gyrion y dref neu'r pentref – mynwent neu goedwig yn aml.

Byddai'r *Einsatzgruppen* yn dweud wrth yr Iddewon am sefyll neu orwedd yn y ffos neu'r pwll. Yna, bydden nhw'n cael eu saethu. Pan oedd y ffos neu'r pwll yn llawn cyrff, byddai'n cael ei lenwi â phridd. Byddai'r *Einsatzgruppen* yn mynd ag eiddo'r dioddefwyr ymaith, neu'n eu gwerthu i bobl leol.

Yn y safle hwnnw, byddai Iddewon yn cael eu gorfodi i ddadwisgo a rhoi eu heiddo i'r *Einsatzgruppen*. Byddai unrhyw un a oedd yn gwrthod yn cael ei ladd ar unwaith. Yna, byddai'r Iddewon yn cael eu tywys i ffos (*trench*) neu bwll (*pit*).

Ffigur 4.7 Sut roedd yr *Einsatzgruppen* yn gweithredu.

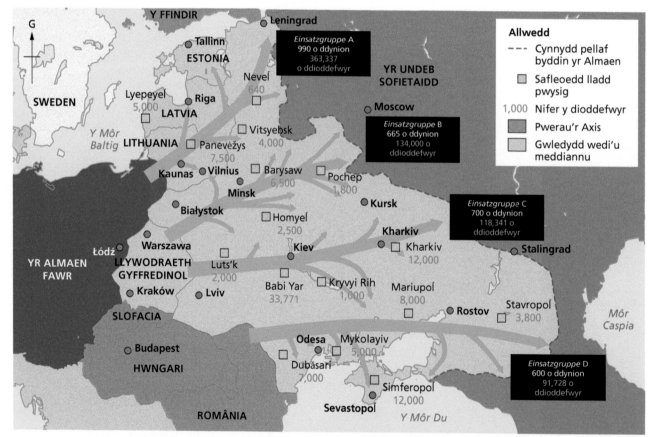

Ffigur 4.8 Gweithredoedd yr *Einsatzgruppen* rhwng Mehefin 1941 a Rhagfyr 1942 – y cyfnod o weithgarwch mwyaf dwys. Mae cyfanswm y bobl a gafodd eu lladd gan bob *Einsatzgruppe* yn ystod yr amser hwn mewn lliw oren. Gwnaeth y llofruddio barhau tan 1944, a lladdwyd cannoedd ar filoedd yn rhagor o bobl.

Babi Yar – Astudiaeth achos

Cafodd Dina Pronicheva ei geni yn 1911 i deulu Iddewig tlawd yn Kiev, sy'n rhan o Ukrain heddiw. Ar ôl priodi Viktor, dyn o Rwsia nad oedd yn Iddew, cafodd ddau o blant. Roedd Dina yn gweithio yn y theatr bypedau i blant yn Kiev.

Pan ddechreuodd y rhyfel rhwng yr Almaen Natsïaidd a'r Undeb Sofietaidd, gwnaeth Viktor adael i ymuno â'r fyddin Sofietaidd. Arhosodd Dina yn Kiev gyda'r ddau blentyn ifanc, ei rhieni a'i chwaer. Ar 19 Medi 1941, cyrhaeddodd yr Almaenwyr y ddinas. Naw diwrnod yn ddiweddarach, gwelodd Dina bosteri yn gorchymyn i bob Iddew ymgynnull y diwrnod canlynol. Roedd rhaid iddyn nhw ddod â'u dogfennau, eu heiddo a dillad cynnes. Byddai unrhyw un na fyddai'n dod i'r man ymgynnull yn cael ei saethu. Roedd pobl yn credu eu bod nhw'n cael eu symud i rywle arall.

Ar 29 Medi, gadawodd Dina ei phlant yng ngofal ei mam yng nghyfraith. Roedd hi eisiau mynd gyda'i rhieni a'i chwaer i'r man ymgynnull i ffarwelio â nhw. Fodd bynnag, ar ôl iddi gyrraedd yno cafodd ei dal yng nghanol y dorf o filoedd o bobl a oedd yn cerdded tuag at geunant ar gyrion y ddinas, o'r enw Babi Yar.

> O fy mlaen roedd menyw yn cerdded gyda dau o blant yn ei breichiau, a'r trydydd plentyn yn gafael yn llinynnau ei ffedog. Roedd menywod sâl a phobl oedrannus yn cael eu cario ar gerti, a oedd wedi'u llwytho â bagiau a chesys. Roedd plant bach yn crio.
>
> Dina Pronicheva

Dina Pronicheva

> Pan gyrhaeddodd y safle, ceisiodd Dina ddefnyddio'r cyfenw Rwsaidd ar ei phasbort i honni nad oedd hi'n Iddew. Er ei bod nhw'n ei chredu hi i ddechrau, cafodd Dina ei gorfodi i ymyl y bedd torfol. Wrth i'r saethu ddechrau, taflodd Dina ei hun i'r pwll (*pit*) ac esgus ei bod yn farw. Yna, wrth i'r Almaenwyr edrych i weld a oedd rhywun wedi goroesi, ymlusgodd allan o'r bedd a dianc. Roedd Dina yn un o'r nifer bach iawn a wnaeth lwyddo i oroesi.

> Gwelais fenyw ifanc, yn hollol noeth, yn nyrsio ei baban noeth. Yna, rhedodd heddwas ati, gan rwygo'r baban o'i bron a'i daflu yn fyw i mewn i'r pwll. Rhuthrodd y fam ar ôl ei baban. Saethodd [yr heddwas] hi a syrthiodd yn farw…
>
> Dina Pronicheva

Dros gyfnod o ddeuddydd, gwnaeth aelodau o *Einsatzgruppe* C lofruddio 33,771 o ddynion, menywod a phlant Iddewig yn Babi Yar. Dyma un o'r achosion gwaethaf o lofruddiaeth yn ystod yr Holocost.

Rhywbeth i'w ystyried

Beth rydyn ni'n ei ddysgu am yr 'Holocost drwy fwledi' o'r digwyddiadau yn Babi Yar?

Ffigur 4.9 Y rhai a oedd yn gyfrifol am Babi Yar yn chwilota drwy eiddo'r dioddefwyr, 1 Hydref 1941.

Johannes Hähle

Roedd Johannes yn ffotograffydd a ymunodd â'r blaid Natsïaidd yn 1932 pan oedd yn 26 oed. Yn 1941, ar ôl cael ei ddrafftio i'r lluoedd arfog, roedd yn rhan o'r fyddin a oedd yn goresgyn yr Undeb Sofietaidd. Ei waith oedd tynnu ffotograffau **propaganda**. Ond tynnodd ffotograffau eraill hefyd, gyda ffilm lliw, a'u cadw'n breifat. Pan gyrhaeddodd Kiev, tynnodd 29 ffotograff lliw yn Babi Yar, gan gynnwys Ffigur 4.9. Bu farw Johannes yn 1944. Ni ddangosodd y ffotograffau o Babi Yar i neb erioed, ac fe wnaeth ei wraig eu hetifeddu. Gwerthodd hithau gopïau du a gwyn ohonyn nhw i newyddiadurwr yn yr 1950au.

Gweithgaredd

Edrychwch yn ôl ar benodau blaenorol yr uned hon. Sut roedd yr 'Holocost drwy fwledi' yn wahanol i'r hyn a oedd wedi digwydd cyn hynny?

Rhywbeth i'w ystyried

Beth yw eich barn chi am weithredoedd Johannes a'i wraig?

4.4 Beth oedd yr 'Ateb Terfynol'?

I'r Natsïaid, byddai buddugoliaeth yn nwyrain Ewrop yn gyfle i 'ddatrys' materion roedden nhw'n eu hystyried, a hynny yn anghywir, yn broblemau. Ym mydolwg hiliol y Natsïaid, un o'r prif 'broblemau' oedd beth i'w wneud â'r

Iddewon a oedd o dan eu rheolaeth. Roedd anghytuno ynglŷn â beth i'w wneud ymhlith y Natsïaid hyd yn oed, ond roedd pob un yn credu bod angen 'ateb terfynol' i 'broblem' yr Iddewon.

Llofruddiaethau yn symud i'r gorllewin

Herbert Lange

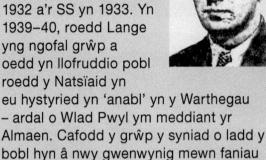

Roedd Herbert Lange yn heddwas a ymunodd â'r blaid Natsïaidd yn 1932 a'r SS yn 1933. Yn 1939–40, roedd Lange yng ngofal grŵp a oedd yn llofruddio pobl roedd y Natsïaid yn eu hystyried yn 'anabl' yn y Warthegau – ardal o Wlad Pwyl ym meddiant yr Almaen. Cafodd y grŵp y syniad o ladd y bobl hyn â nwy gwenwynig mewn faniau pwrpasol.

Gweithgareddau

1 Pam gwnaeth Greiser benderfynu llofruddio Iddewon yn y Warthegau?

2 Beth gallwn ni ei ddysgu am y broses gwneud penderfyniadau a oedd y tu ôl i'r Holocost, o'r digwyddiadau yn y Warthegau?

Arthur Greiser

Arthur Greiser oedd llywodraethwr y Warthegau. Roedd Greiser eisiau cael gwared ar yr Iddewon o'r Warthegau, lle roedd y rhan fwyaf ohonyn nhw bellach yn byw mewn getos. Ceisiodd wneud hyn drwy symud Iddewon i rannau eraill o Wlad Pwyl ym meddiant yr Almaen, ond methodd. Yn y pen draw, penderfynodd gyflawni ei nod drwy eu llofruddio.

Yn ystod haf 1941, ar ôl i Hitler a Himmler roi caniatâd iddo, dechreuodd Greiser a'i swyddogion baratoi cynlluniau. Dechreuodd achosion o saethu torfol ym mis Medi, ond cafodd dull newydd o ladd ei gyflwyno yn fuan wedyn. Yn yr Almaen a'r rhannau o Wlad Pwyl ym meddiant yr Almaen yn 1939 ac 1940, roedd faniau nwy wedi cael eu defnyddio i ladd miloedd o bobl a oedd yn cael eu hystyried yn 'anabl' gan y Natsïaid. Penderfynwyd mai dyma fyddai'r ffordd orau o gael gwared ar yr Iddewon o'r Warthegau.

Chelmno

Yn ystod hydref 1941, cafodd Herbert Lange y dasg o ladd yr Iddewon yn Warthegau nad oedd yn bosibl eu defnyddio fel caethlafurwyr. Dewisodd Chelmno, pentref bach o tua 250 o bobl, fel lleoliad ar gyfer gwersyll newydd (gweler Ffigur 4.10) mewn plasty yng nghanol y pentref. Ar 8 Rhagfyr, cafodd grŵp o Iddewon gerllaw eu casglu ynghyd a'u gyrru i'r plasty. Dywedwyd wrthyn nhw eu bod yn cael eu hanfon yno i weithio, ond byddai angen iddyn nhw gael cawod. Gwnaethon nhw dynnu eu dillad, a gadael eu heitemau gwerthfawr ar ôl, cyn cael eu harwain i gefn fan. Cafodd y drysau eu cau cyn i'r faniau gael eu llenwi â nwy gwenwynig. Ar ôl tua deg munud, gyrrwyd y fan i goedwig lle cafodd y cyrff eu llosgi neu eu claddu.

Roedd grwpiau bach o ddynion yn cael eu cadw'n fyw i weithio, gan gynnwys cludo dioddefwyr i'r faniau nwy, glanhau'r faniau a rhoi trefn ar yr eiddo. Pan nad oedden nhw'n gweithio, bydden nhw'n cael eu cloi mewn ystafell yn y seler (gweler Ffigur 4.11). Byddai'r dynion hyn yn cael eu lladd o dro i dro hefyd.

Ffigur 4.10 Llun o bentref Chelmno, wedi'i dynnu rhywbryd rhwng 1939 ac 1943. Mae'r plasty i'w weld ar y chwith yn y ffotograff (drws nesaf i'r eglwys a'i dŵr).

Ffigur 4.11 Grŵp o ddynion Iddewig (aelodau o grŵp llafur mae'n debyg) yn y plasty yn Chelmno, rhywbryd rhwng 1941 ac 1943.

Erbyn i'r Almaenwyr adael Chelmno ym mis Ionawr 1945, roedd o leiaf 172,000 o Iddewon wedi cael eu lladd yno. Roedd llawer ohonyn nhw'n dod o geto Łódź.

Simon Srebrnik

Cafodd Simon ei allgludo i Chelmno o geto Łódź pan oedd yn 13 oed. Cafodd ei roi mewn cadwyni a'i ddewis i roi trefn ar ddillad ac eitemau gwerthfawr, llosgi cyrff a mynd â lludw'r dioddefwyr mewn cwch i'w daflu i'r afon. Roedd Simon yn adnabyddus iawn ymhlith y bobl a oedd yn byw yn Chelmno. Ym mis Ionawr 1945, llwyddodd i ddianc.

Gweithgareddau

1 Pwy ddatblygodd y dull llofruddio torfol a gafodd ei ddefnyddio yn Chelmno?

2 Beth oedd y cysylltiad rhwng llofruddio Iddewon yn Chelmno a llofruddio grŵp arall o ddioddefwyr?

Ffynhonnell 4.3

Roedd llawer o fagiau llaw, mynydd o fagiau llaw. Un tro, fe wnes i ddod o hyd i fag llaw gyda lluniau fy mam ynddo, ynghyd â'i holl ddogfennau.

O dystiolaeth Simon Srebrnik

Rhywbeth i'w ystyried

Ydych chi'n credu bod pobl Chelmno yn gwybod beth oedd yn digwydd yn y gwersyll marwolaeth?

Y gwersylloedd marwolaeth

Chelmno oedd y gwersyll marwolaeth cyntaf erioed. Ei unig bwrpas oedd llofruddio. Byddai hyd yn oed y rhai a oedd yn cael eu cadw'n fyw i weithio fel caethlafurwyr yn cael eu lladd yn y pen draw. Dyma oedd syniad sylfaenol gwersyll marwolaeth. Doedd neb i fod i oroesi.

Uchelgais Arthur Greiser oedd yn gyfrifol am ddechrau gwersyll Chelmno. Ond erbyn i wersyll Chelmno agor, roedd y syniad o lofruddio Iddewon yn cael ei dderbyn yn eang ymhlith arweinwyr y Natsïaid. Dydyn ni ddim yn gwybod pryd yn union, a does dim gorchymyn ysgrifenedig yn bodoli, ond erbyn gaeaf 1941, roedd penderfyniadau wedi cael eu gwneud i gydlynu'r lladd a oedd eisoes yn digwydd yn Warthegau a'r Undeb Sofietaidd, ac i gynnwys Iddewon a oedd yn byw yng ngorllewin Ewrop.

Yn 1942, agorwyd gwersylloedd marwolaeth eraill yn y rhannau o Wlad Pwyl ym meddiant yr Almaen (gweler Ffigur 4.12). Roedd y gwersylloedd hyn yn agos at reilffyrdd fel eu bod yn hawdd eu cyrraedd, ac roedden nhw'n aml mewn ardaloedd anghysbell. Fodd bynnag, roedd y bobl a oedd yn byw gerllaw yn gwybod beth oedd yn digwydd yno a chyn hir dechreuodd sïon ledaenu ar draws Ewrop.

Fel Chelmno, roedd pobl yn cael eu lladd â nwy, ond nid mewn faniau. Yn hytrach, roedd pobl yn cael eu lladd mewn siambrau wedi'u hadeiladu'n arbennig at y pwrpas. Roedden nhw'n cael eu lladd naill ai gan fygdarthau peiriannau neu – fel yn Auschwitz-Birkenau – gan nwy gwenwynig.

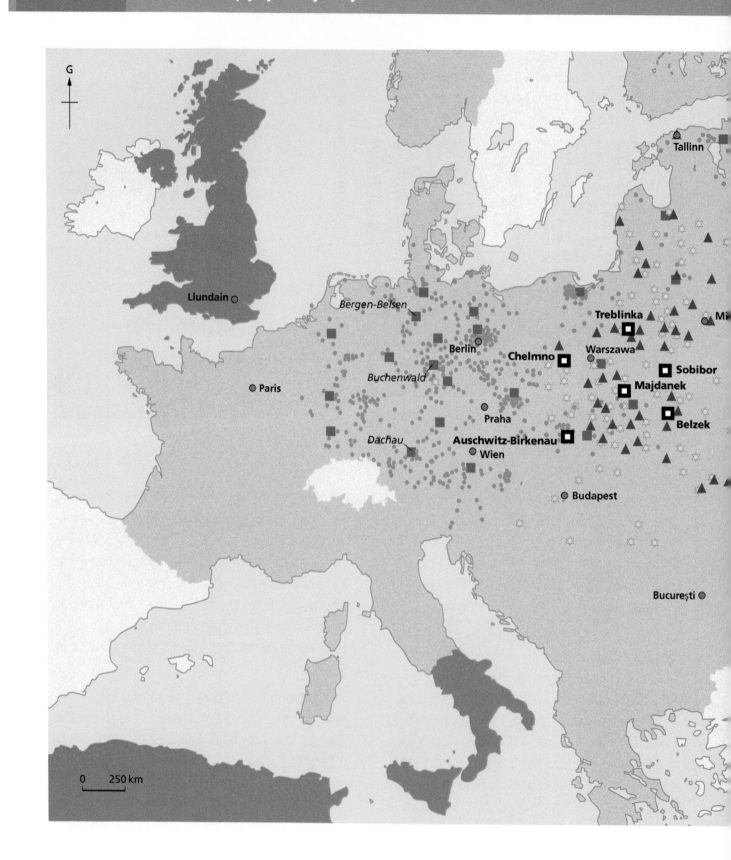

G

Tallinn

Llundain

Bergen-Belsen

Berlin

Treblinka

Mi

Chelmno

Warszawa

Paris

Buchenwald

Sobibor

Majdanek

Praha

Belzek

Dachau

Auschwitz-Birkenau

Wien

Budapest

București

0   250 km

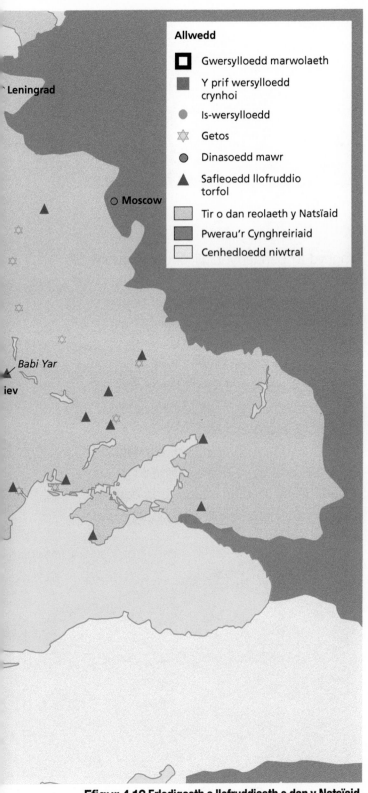

Ffigur 4.12 Erledigaeth a llofruddiaeth o dan y Natsïaid.

Y chwe phrif wersyll marwolaeth yn y rhannau o Wlad Pwyl ym meddiant y Natsïaid:

Chelmno

Gweithredol: Rhagfyr 1941–Mawrth 1943/ Ebrill 1944–Gorffennaf 1944

Tua 172,000 o ddioddefwyr

Belzec

Gweithredol: Mawrth–Rhagfyr 1942

434,500 o ddioddefwyr

Auschwitz-Birkenau

Gweithredol: Gwanwyn 1942–Ionawr 1945

1,100,000 o ddioddefwyr

Sobibor

Gweithredol: Mai 1942–Tachwedd 1943

170,000–250,000 o ddioddefwyr

Treblinka

Gweithredol: Gorffennaf 1942–Medi 1943

870,000 o ddioddefwyr

Majdanek

Gweithredol: Hydref 1942–Rhagfyr 1943

78,000 o ddioddefwyr

Rhywbeth i'w ystyried

Astudiwch Ffigur 4.12. Beth mae'r map yn ei ddweud wrthym ni am ddaearyddiaeth yr Holocost? Pa gwestiynau mae'n eu codi?

Cynhadledd Wannsee

Erbyn diwedd 1941, roedd cannoedd ar filoedd o Iddewon yn nwyrain Ewrop wedi cael eu lladd. Roedd y llofruddiaethau wedi dechrau symud i gyfeiriad y gorllewin (gweler tudalen 55), gan fod arweinwyr Natsïaidd yn poeni nad oedd y rhyfel yn erbyn yr Undeb Sofietaidd yn rhy llwyddiannus. Ar ryw adeg yn ystod misoedd olaf 1941, penderfynwyd mai'r 'Ateb Terfynol' i 'broblem yr Iddewon' oedd llofruddio torfol. Byddai **hil-laddiad** bellach yn digwydd ledled Ewrop.

Ar 20 Ionawr 1942, daeth 15 o brif swyddogion y Natsïaid a'r Almaen i gyfarfod mewn fila ger Berlin. Roedd Cynhadledd Wannsee yn gyfarfod i drafod sut byddai adrannau gwahanol y llywodraeth yn cydweithio i allgludo Iddewon o bob rhan o Ewrop, a'u symud i'r gwersylloedd marwolaeth.

Arweinydd y cyfarfod oedd Heydrich. Pwysleisiodd y byddai'r SS yn rheoli, a mynnodd fod pawb yn cydweithio.

Yn dilyn hyn, gwelwyd ton fawr o lofruddiaethau. Dros y 12 mis nesaf, cafodd miliynau eu lladd. Yn y rhannau o Wlad Pwyl ym meddiant y Natsïaid, er enghraifft, cafodd 1.2 miliwn o Iddewon eu llofruddio mewn rhaglen o'r enw Ymgyrch Reinhard.

Gweithgareddau

1 Beth oedd pwrpas Cynhadledd Wannsee?

2 Beth oedd yn wahanol ynglŷn â'r gwersylloedd marwolaeth, o'u cymharu â'r 'Holocost drwy fwledi'?

Rhywbeth i'w ystyried

Ar 20 Gorffennaf 1944, cafodd Iddewon a oedd yn byw ar ynysoedd Groegaidd Rodos a Kos eu rhoi ar gwch a'u cludo i'r tir mawr. Oddi yno, gwnaethon nhw deithio am bron i bythefnos ar drên i Auschwitz-Birkenau. Sawl gwlad gwnaeth y bobl hyn deithio drwyddi? Beth mae hyn yn ei ddweud wrthym ni am gynllun y Natsïaid i ddinistrio bywyd Iddewig ledled Ewrop?

Allgludo

Ynghyd â'r penderfyniad i lofruddio cynifer o Iddewon Ewropeaidd â phosibl, dechreuwyd proses o **allgludo**. Dechreuodd pobl a oedd yn byw mewn getos gael eu hanfon i'r gwersylloedd marwolaeth, lle byddai Iddewon o bob rhan o Ewrop yn ymuno â nhw. Roedd cludo Iddewon o bob cornel o'r cyfandir yn dasg enfawr. Gyda chydweithrediad lleol, cafodd Iddewon eu casglu ynghyd, eu rhoi ar dryciau, trenau a chychod, a'u hanfon i'r gwersylloedd yn y Dwyrain. Roedd y daith yn aml yn hir iawn ac roedd yr amodau yn ddychrynllyd. Bu farw llawer o bobl ar y daith.

Ffigur 4.13 Iddewon yn mynd ar drên i'r Dwyrain yn Westerbork, yr Iseldiroedd.

Auschwitz-Birkenau

Gweithgaredd

Beth rydych chi'n ei wybod am 'Auschwitz'?
Gweithiwch gyda phartner a lluniwch restr o
bopeth rydych chi'n ei wybod.

1940
Fe wnaeth y Natsïaid newid enw Oświęcim yng Ngwlad Pwyl i
'Auschwitz'.

Fe wnaeth yr SS addasu rhai o adeiladau parod y fyddin yn
wersyll crynhoi ar gyfer carcharorion gwleidyddol o Wlad Pwyl.

Dyma fyddai 'Auschwitz I' (y gwersyll gyda'r adeiladau brics
gallwch chi ei weld heddiw).

⬇

Cafodd gwersylloedd newydd ac is-wersylloedd eu hadeiladu yn
y dref a gerllaw, pob un â phwrpas gwahanol. Rhoddwyd yr
enw Auschwitz-Birkenau ar yr un a oedd wedi'i fwriadu ar gyfer
carcharorion rhyfel Sofietaidd.

Dechreuodd y gwaith adeiladu ym mis Hydref 1941.

Erbyn dechrau 1942, roedd y cynlluniau wedi newid; byddai'n
cael ei droi yn wersyll marwolaeth ar gyfer Iddewon ac eraill.

⬇

Yn ystod gwanwyn 1942, cafodd ffermdy ei addasu yn siambr
nwy.

Erbyn yr haf, roedd siambr nwy arall mwy o faint wedi cael ei
agor mewn hen ffermdy arall.

Yn yr adeiladau hyn, cafodd miloedd eu lladd gan y Natsïaid a'u
cydweithredwyr, ond doedden nhw ddim yn gallu ymdopi â
nifer y bobl a oedd yn cael eu hanfon yno.

⬇

Ym mis Chwefror 1943, cafodd miloedd o bobl Roma eu
hallgludo i Auschwitz-Birkenau, a'u rhoi mewn 'Gwersyll Teulu
Sipsiwn'. Cafodd tua 22,000 o bobl eu carcharu yma cyn i'r
gwersyll gau ym mis Awst 1943. Bu farw miloedd ohonyn nhw
naill ai oherwydd clefydau, neu oherwydd iddyn nhw gael eu
rhoi yn y siambrau nwy.

⬇

Erbyn mis Mawrth 1943, roedd pedwar adeilad newydd wedi
agor, pob un yn cynnwys siambr nwy ac amlosgfeydd i losgi'r
cyrff.

Erbyn haf 1943, roedd bellach yn bosibl lladd tua 150,000 o bobl
bob mis yn Auschwitz-Birkenau.

**Ffigur 4.14 Ffotograff yr SS o sment yn cael ei arllwys
yn ystod y gwaith o adeiladu Amlosgfa III yn
Auschwitz-Birkenau, 1942–43.**

Cafodd y rhan fwyaf o Iddewon Ewrop eu
llofruddio rhwng mis Mawrth 1942 a mis
Chwefror 1943. Cafodd y rhan fwyaf eu lladd
gan yr *Einsatzgruppen*, oherwydd newyn a
chlefydau yn y getos, neu drwy eu gwenwyno
â nwy yn y gwersylloedd marwolaeth. Erbyn
haf 1943, y lle mwyaf peryglus i Iddewon
yn Ewrop oedd Treblinka. Yno, roedd tua
700,000 o bobl wedi cael eu llofruddio ers
mis Gorffennaf 1942. Newidiodd hyn yn 1944,
pan gafodd Iddewon Hwngari, sef y gymuned
fwyaf o Iddewon a oedd ar ôl yn Ewrop, ei
hanfon i Auschwitz-Birkenau.

Gweithgaredd

Edrychwch eto ar eich rhestr o wybodaeth am 'Auschwitz'. Oes angen i chi addasu unrhyw
un o'r syniadau hyn? Pa wybodaeth newydd gallwch chi ei hychwanegu?

Astudiaeth achos: Hwngari, 1944

Ym mis Mawrth 1944, gwnaeth yr Almaen oresgyn Hwngari er mwyn atal y wlad rhag cymodi (*make peace*) â phwerau'r Cynghreiriaid. O dan bwysau gan y Natsïaid, daeth llywodraeth newydd i rym a oedd wedi ymrwymo i allgludo'r Iddewon. Yn fuan iawn, cafodd Iddewon Hwngari eu rhoi mewn getos. Ym mis Mai, dechreuodd y getos gael eu gwacáu a rhoddwyd dynion, menywod a phlant Iddewig ar drenau i Auschwitz-Birkenau.

Ymhen chwe wythnos, roedd 430,000 o bobl wedi cyrraedd y gwersyll marwolaeth. Roedd y gwersyll yn cael trafferth ymdopi. Roedd y siambrau nwy a'r amlosgfeydd yn gweithio drwy'r nos. Roedd cyrff yn cael eu llosgi yn yr awyr agored. Adeiladwyd cangen rheilffordd newydd er mwyn i drenau allu mynd â'r Iddewon yn syth i'r siambrau nwy.

Erbyn i Budapest gael ei rhyddhau gan fyddin yr Undeb Sofietaidd ym mis Ionawr 1945, roedd tua 565,000 o Iddewon Hwngari wedi cael eu llofruddio.

Ffigur 4.15 Cyrff yn cael eu llosgi yn yr awyr agored yn Auschwitz-Birkenau, Awst 1944. Cafodd y ffotograff hwn ei dynnu yn gudd gan Iddew a gafodd ei orfodi i weithio yn y siambr nwy. Cafodd y camera ei smyglo i'r gwersyll gan aelodau o fudiad gwrthsefyll Gwlad Pwyl. Mae'r ffotograff hwn yn un o'r ychydig luniau sydd gennym o'r broses ladd yn Auschwitz-Birkenau. Mae'n debygol mai Iddewon o Hwngari oedd y dioddefwyr.

Gweithgareddau

Edrychwch ar y ffotograff a gafodd ei dynnu yn Auschwitz-Birkenau yn 1944 (Ffigur 4.15) a'r hyn a ysgrifennodd Eva yn ei dyddiadur.

1 Beth yw gwerth y ffotograff? Pam mae'n arwyddocaol? Pa gwestiynau mae'n eu codi?

2 A oedd Eva yn credu'r hyn roedd pobl wedi ei ddweud wrthi hi, ei mam-gu a'i thad-cu ynglŷn â chael eu hadleoli? Beth mae ei dyddiadur yn ei ddatgelu am faint roedd pobl yn ei wybod a'i ddeall yn 1944?

Eva Heymann

Ar 13 Chwefror 1944, dechreuodd Eva, 13 oed, ysgrifennu dyddiadur. Roedd hi'n byw yn Nagyvárad, Hwngari (Oradea yn România bellach), gyda'i mam-gu a'i thad-cu ers i'w rhieni ysgaru. Ei breuddwyd oedd bod yn ffotograffydd i bapur newydd.

Cafodd Eva, ei mam-gu a'i thad-cu, eu gorfodi i symud i geto y ddinas ym mis Ebrill 1944. Ar 29 Mai, dywedwyd wrthyn nhw eu bod yn mynd i gael eu 'hadleoli yn y Dwyrain'. Ysgrifennodd Eva yn ei dyddiadur am y tro olaf y diwrnod canlynol:

'… Annwyl ddyddiadur, dydw i ddim eisiau marw; dwi eisiau byw hyd yn oed os yw hynny'n golygu mai fi fydd yr unig un fydd yn cael aros yma […] alla i ddim ysgrifennu rhagor, annwyl ddyddiadur, mae'r dagrau yn llifo o'm llygaid'.

Ychydig ddyddiau yn ddiweddarach, cafodd Eva, ei mam-gu a'i thad-cu eu hanfon i Auschwitz-Birkenau, lle cawson nhw eu llofruddio ar 17 Hydref 1944.

4.5 Pryd daeth yr Holocost i ben, a sut?

Daeth yr Holocost i ben pan gafodd yr Almaen Natsïaidd ei threchu. O haf 1944 ymlaen, cafodd byddin yr Almaen ei gorfodi i gilio gan **bwerau'r Cynghreiriaid** (sef yr Undeb Sofietaidd yn y dwyrain a Phrydain ac UDA yn y gorllewin a'r de) ar ôl iddi gael ei threchu sawl gwaith.

Y gorymdeithiau angau

Wrth i fyddin yr Almaen gilio, dechreuodd y carcharorion a oedd yn dal yn fyw yn y gwersylloedd a oedd ar ôl, gael eu symud i ffwrdd o luoedd y Cynghreiriaid, i wersylloedd crynhoi eraill, **gwersylloedd gwaith** a'r **is-wersylloedd** yn yr Almaen ac Awstria. Roedd y Natsïaid eisiau gwneud yn siŵr na fyddai unrhyw dystion i'w troseddau. Hefyd, roedden nhw'n dal eisiau defnyddio carcharorion Iddewig fel caethlafurwyr.

Cafodd carcharorion naill ai eu gorfodi i gerdded, yn aml am wythnosau ar y tro, neu eu gwasgu ar drenau nwyddau gorlawn, nad oedd yn addas i gario pobl. Doedd dim cysgod ac ychydig iawn o fwyd a dŵr fydden nhw'n ei gael, os o gwbl. Byddai'r carcharorion hynny nad oedden nhw'n gallu dal i fyny, neu a oedd yn ceisio dianc, yn cael eu saethu. Roedd yr amodau ar y gorymdeithiau gorfodol hyn mor ofnadwy, dechreuodd y carcharorion eu hunain eu galw'n 'orymdeithiau angau'. Bu farw cyfanswm o tua 250,000 o garcharorion, yn Iddewon a phobl nad oedden nhw'n Iddewon, o ganlyniad i'r gorymdeithiau angau.

Rhywbeth i'w ystyried

Beth mae Ffigur 4.16 a Ffynhonnell 4.5 ar y dudalen nesaf yn ei ddweud wrthym ni ynglŷn â beth roedd sifiliaid yr Almaen yn ei wybod a sut roedden nhw'n trin carcharorion? Pam byddai rhai sifiliaid Almaenig wedi tynnu ffotograffau o'r fath yn gyfrinachol?

Ffigur 4.16 Gorymdaith angau o Dachau. Gwnaeth sifiliaid o'r Almaen dynnu ffotograffau cudd o sawl gorymdaith angau wrth iddyn nhw fynd drwy eu tref.

Ffynhonnell 4.4

Am naw diwrnod roeddwn i wedi bod yn cerdded yn gwbl droednoeth yn yr eira … Dewisodd y swyddog trafnidiaeth yr holl bobl droednoeth, a'u rhoi yn y certi gyda'r bobl sâl. Yn bwyllog a thawel, dywedodd wrthym ni y bydden ni'n cael ein saethu cyn pen hanner awr … Chawson ni ddim ein saethu… Cawson ni ein rhoi mewn wagenni gwartheg agored am dri diwrnod a thair noson … Ar y ffordd, gwnaeth 75 y cant ohonon ni rewi.

O dystiolaeth Elisabeth Herz

Ffynhonnell 4.5

Roedd yn ardal Almaenig, a dyma'r grwpiau Mudiad Ieuenctid Hitler lleol yn taflu cerrig atyn nhw [y carcharorion] … wrth iddyn nhw fynd drwy'r trefi. Roedd y werin bobl Almaenig yn gwrthod rhoi llety iddyn nhw [y carcharorion] yn eu stablau. Roedden nhw'n ofni'r 'diafoliaid Iddewig'; roedd yn rhaid i'r merched gysgu yn y cae, yn yr eira. Yn Christianstadt, gwnaeth menywod Almaenig geisio rhoi bara i ni. Ond doedd y gwarchodwyr ddim yn caniatáu hyn … Gwaeddodd y fenyw greulon: 'Beth rydych chi'n ei wneud, yn teimlo piti dros Iddewon?'

O dystiolaeth Aliza (Frunka) Besser

Rhyddid

Wrth iddyn nhw agosáu at yr Almaen, daeth byddinoedd y Cynghreiriaid o hyd i ddioddefwyr y gorymdeithiau angau. Gwnaethon nhw hefyd ddod o hyd i wersylloedd marwolaeth, gwersylloedd crynhoi a gwersylloedd gwaith. Roedd y milwyr wedi arswydo wrth weld hyn. Oherwydd newyn, clefydau a thriniaeth greulon, roedd y nifer bach o garcharorion a oedd wedi goroesi bron iawn yn farw. Roedd tystiolaeth o lofruddio ac arteithio torfol yn amlwg i'r byd i gyd.

Ar 7 Mai 1945, ildiodd yr Almaenwyr i'r Prydeinwyr a'r Americaniaid. Ddeuddydd yn ddiweddarach, ar 9 Mai 1945, ildiodd yr Almaen i'r Sofietiaid. Roedd yr Ail Ryfel Byd yn Ewrop ar ben. I'r nifer bach o garcharorion a oedd yn dal yn fyw yn y gwersylloedd, roedd hyn yn golygu rhyddid a'r cyfle i oroesi. Eto i gyd, i lawer ohonyn nhw, daeth **rhyddid** yn rhy hwyr. Oherwydd eu bod nhw mor wan o ganlyniad i newyn, clefydau, arteithio a llafur gorfodol, roedd y carcharorion yn dal i farw hyd yn oed ar ôl cael eu rhyddhau.

Treblinka

Roedd y Natsïaid wedi dinistrio'r gwersylloedd marwolaeth yn Treblinka, Sobibor a Belzec yn 1943. Y rheswm dros hyn oedd eu bod nhw wedi cwblhau eu tasg o lofruddio'r mwyafrif o Iddewon Gwlad Pwyl. Cyrhaeddodd milwyr yr Undeb Sofietaidd safle Treblinka yn ystod wythnos olaf mis Gorffennaf 1944. Roedd ffermdy bellach ar y safle, ac roedd y tir wedi cael ei aredig. Er gwaethaf ymdrechion y Natsïaid i guddio'r llofruddio torfol a ddigwyddodd yno, daeth y Sofietiaid o hyd i ddarnau bach o esgyrn a dannedd, yn ogystal ag eiddo'r rhai a gafodd eu llofruddio.

Milwr Sofietaidd (ar y dde) yn sefyll wrth dystiolaeth o lofruddio torfol ar safle gwersyll marwolaeth Treblinka.

Auschwitz-Birkenau

Gwelwyd rhagor o ymdrechion i guddio tystiolaeth o lofruddio torfol wrth i'r Almaen ddechrau colli'r rhyfel a chilio. Ar ddiwedd mis Hydref 1944, cafodd siambrau nwy Auschwitz-Birkenau eu cau, ac ym mis Tachwedd rhoddodd Himmler orchymyn i'w dinistrio. Roedd anhrefn y cyfnod yn golygu na chafodd tystiolaeth ei dinistrio mewn rhai lleoedd, ac roedd adfeilion siambrau nwy yn dal i sefyll mewn rhai gwersylloedd. Ar 27 Ionawr 1945, gwnaeth y Sofietiaid ryddhau Auschwitz-Birkenau a'r 7,000 o garcharorion a oedd yn dal yn fyw yno.

Adfeilion amlosgfa a siambr nwy II yn Auschwitz-Birkenau. Mae'r llun hwn yn dangos y fynedfa i'r ystafell newid.

Bergen-Belsen

Ar 15 Ebrill 1945, cafodd gwersyll crynhoi Bergen-Belsen ei ryddhau gan y Prydeinwyr. Roedd angen sylw meddygol brys ar chwe deg mil o garcharorion esgyrnog a sâl. Roedd dros 13,000 o garcharorion marw yn gorwedd heb eu claddu o amgylch y gwersyll; pobl a oedd wedi dioddef oherwydd newyn, clefydau a chreulondeb y Natsïaid. Roedd tua dau o bob tri o'r rhai a gafodd eu darganfod yn fyw yn Iddewon. Roedd llawer o'r rhain wedi goroesi'r gorymdeithiau angau gorfodol o'r gwersylloedd marwolaeth yn y Dwyrain, yn benodol Auschwitz-Birkenau.

Un o garcharorion gwersyll crynhoi Bergen-Belsen yn cusanu llaw yr Is-gapten Martyn Wilson, dyn camera Uned Ffilm a Ffotograffiaeth y Fyddin, pan gafodd y gwersyll ei ryddhau.

Dachau

Ar 27 Ebrill 1945, wrth i filwyr Americanaidd agosáu at yr ardal ger gwersyll crynhoi Dachau, cafodd 7,000 o garcharorion, Iddewon yn bennaf, eu gorfodi i ddechrau gorymdaith angau o'r gwersyll. Ddeuddydd yn ddiweddarach, ar 29 Ebrill 1945, ar ôl brwydr fer gyda'r gwarchodwyr SS a oedd yn dal yno, cafodd y gwersyll ei ryddhau gan yr Americaniaid. Gwnaethon nhw ddarganfod 30,000 o oroeswyr, ac roedd y rhan fwyaf ohonyn nhw yn ddim ond croen ac asgwrn. Cafodd 9,000 o garcharorion marw eu darganfod yn y gwersyll hefyd.

Carcharorion a gafodd eu rhyddhau gan yr Americaniaid y tu mewn i wersyll crynhoi Dachau.

Nawr eich bod chi wedi astudio'r uned hon, gwiriwch eich gwybodaeth yma:
www.ucl.ac.uk/holocaust-education

Datblygu gwybodaeth a dealltwriaeth

Er mwyn gwella eich gwybodaeth a herio camddealltwriaethau cyffredin, byddwch chi'n dysgu am y canlynol:

- Sut gwnaeth Iddewon ymateb i'w **herledigaeth**, ymladd yn ôl a gwrthwynebu'r Natsïaid a'u **cydweithredwyr**.
- Sut roedd cannoedd ar filoedd o bobl ar draws Ewrop yn gysylltiedig ag erledigaeth a llofruddiaeth Iddewon Ewrop.
- Y ffaith nad dim ond Hitler a rhai Natsïaid blaenllaw oedd yn gyfrifol am yr Holocost.
- Er i rai gwledydd a phobl geisio helpu'r Iddewon, gwneud dim wnaeth y rhan fwyaf.
- Y ffaith bod y rheini a oedd yn gwrthod lladd Iddewon yn cael dyletswyddau eraill i'w gwenud – a ddim yn cael eu saethu.
- Beth roedd llywodraeth Prydain yn ei wybod am erledigaeth a llofruddiaeth Iddewon Ewrop, a sut gwnaeth ymateb.
- Er nad aeth Prydain i ryfel i achub Iddewon Ewrop, dadleuodd mai trechu'r **Almaen Natsïaidd** ac ennill y rhyfel oedd y ffordd orau o wneud hyn.

Meddwl yn hanesyddol

Dehongli

Mae dehongliadau gwahanol yn bodoli ynglŷn â chyfrifoldeb pobl gyffredin yr Almaen – a phobl mewn gwledydd eraill wedi'u meddiannu – am yr Holocost. Dyma ddadl dau fyfyriwr hanes am y mater:

> *Myfyriwr 1:* Hitler a Natsïaid blaenllaw oedd yn gyfrifol am yr Holocost. Eu syniad nhw oedd yr holl beth a nhw wnaeth ei orchymyn.

> *Myfyriwr 2:* Digwyddodd yr Holocost oherwydd gweithredoedd cannoedd ar filoedd o bobl ledled Ewrop. Roedd rhai yn lladd, llawer yn cymryd rhan, ac eraill yn gwneud dim wrth i Iddewon gael eu herlid a'u llofruddio.

Pa dystiolaeth sydd ar gael i gefnogi'r ddau ddehongliad? Gyda pha un rydych chi'n cytuno fwyaf? Pam?

Trafod

- Yn ystod yr Holocost, roedd rhaid i bobl wneud dewisiadau, ond nid pawb wnaeth ymateb yr un fath. Pam y dewisiadau gwahanol? Beth mae hyn yn ei ddweud am ymddygiad pobl?
- Pa mor arwyddocaol yw **gwrth-Semitiaeth** wrth esbonio pam roedd cynifer o bobl yn barod i ladd Iddewon?

Ateb y cwestiwn MAWR: Sut digwyddodd yr Holocost a pham?

Ar ôl i chi astudio'r holl wybodaeth yn Unedau 1 i 5, dylech chi allu cynnig ateb i'r cwestiwn MAWR – allwch chi esbonio sut digwyddodd yr Holocost a'r prif resymau pam y digwyddodd?

5.1 Wnaeth yr Iddewon ymladd yn ôl?

Er gwaethaf anfanteision amhosibl, gwnaeth llawer o Iddewon ymladd yn ôl a gwrthwynebu'r Natsïaid a'u cydweithredwyr. Gwelwyd gweithgarwch gwrthsefyll ledled Ewrop. Roedd gweithgarwch i'w weld yn y **getos**, yn y **gwersylloedd crynhoi** ac yn y **gwersylloedd marwolaeth** ym mhob gwlad ym meddiant yr Almaen.

Gweithgarwch gwrthsefyll yn y getos

Roedd yr amodau yn y getos yn ddychrynllyd (gweler tudalennau 46–49). Doedd y Natsïaid ddim yn trin Iddewon fel bodau dynol. Gwnaethon nhw geisio eu hatal rhag byw bywydau normal. Er enghraifft, gallai rhywun oedd yn cael ei ddal yn gwneud pethau cyffredin fel cynnal gwasanaethau crefyddol, mynd i'r ysgol neu wrando ar y radio gael ei saethu. Oherwydd hyn, roedd gweithredoedd syml fel y rhai sydd wedi'u dangos yn y cwmwl geiriau a'r ffotograffau ar y dudalen hon yn weithredoedd pwysig o wrthsefyll gan Iddewon yn y getos.

Tynnu ffotograffau   Gofalu am   Mynd i
Paentio a thynnu   yr henoed   gyngherddau
lluniau   Siarad â   Addysgu plant
ffrindiau   Darllen papurau newydd
Gweddïo   Priodi
Ysgrifennu   **GWRTHSEFYLL**   Astudio
dyddiaduron
Rhannu bwyd   Gofalu am   Llwyfannu dramâu
Gwrando ar y   bobl sâl   Ysgrifennu straeon
radio   Cuddio rhag   a barddoniaeth
y gelyn   Canu caneuon
Mynd i'r 'ysgol'   Mynd i wasanaethau crefyddol

Ffigur 5.2 Dathlu gŵyl Hanukkah yn geto Łódź, 1943.

Ffigur 5.3 Aelod o'r SS yn chwilio plentyn Iddewig a oedd yn ceisio smyglo bwyd i mewn i geto Warszawa, 1939. Roedd smyglo bwyd yn fath pwysig iawn o wrthsefyll gan ei fod yn helpu pobl i oroesi.

Ffigur 5.1 Plant yn astudio yn gyfrinachol mewn ysgol yn geto Kovno, 1941–42.

Archif Ringelblum

Rydyn ni'n gwybod am weithgarwch gwrthsefyll yn y getos oherwydd **tystiolaeth** goroeswyr a gan fod grwpiau Iddewig wedi dogfennu bywyd yno. Er enghraifft, gwnaeth yr hanesydd Dr Emanuel Ringelblum a'i ffrindiau ffyddlon gofnodi bywyd yn geto Warszawa. Fel y gwelwch yn Ffigur 5.4, cuddiodd y wybodaeth fel cofnod ar gyfer haneswyr y dyfodol. Mae'r casgliad anhygoel hwn, a gafodd ei ddarganfod ar ôl i'r rhyfel ddod i ben, yn llawn dogfennau, llenyddiaeth, ffotograffau, lluniadau, posteri theatr, caneuon, dramâu, rhaglenni a mathau eraill o dystiolaeth. Mae'r cynnwys yn dangos dewrder a phenderfyniad Iddewon yn y getos i fyw bywydau 'normal' mewn amgylchiadau ofnadwy.

Ffigur 5.4 Yr archif gudd a gafodd ei chreu gan Emanuel Ringelblum yn cael ei darganfod ar ôl y rhyfel.

Ffigur 5.5 Portread o ferch, a gafodd ei baentio gan yr artist Gela Seksztajn yn geto Warszawa ac a gafodd ei ddarganfod yn archif Ringelblum.

Y dde ac isod: o E. Ringelblum Jewish Historical Institute, Warszawa, Gwlad Pwyl

Rhywbeth i'w ystyried

Mae rhai pobl yn credu bod 'gwrthsefyll' yn golygu ymladd â grym yn unig. Ydych chi'n cytuno? Esboniwch eich ateb.

Gweithgareddau

1 Beth oedd Iddewon yn ceisio ei gyflawni ar sail y gweithgareddau sy'n cael eu dangos yn y ffotograffau yn y bennod hon?

2 Wrth siarad am fywyd yn y geto, dywedodd goroeswr yr Holocost, Esther Brunstein, 'Roedd goroesi un diwrnod o dan yr amodau hynny a chadw eich gwerthoedd yn weithred fawr o wrthsefyll.' Beth roedd hi'n ei olygu drwy ddweud hyn?

3 Pam gwnaeth Dr Emanuel Ringelblum greu'r archif gyfrinachol? Pa mor ddefnyddiol yw'r archif i haneswyr?

Ffigur 5.6 Poster (1941) a gafodd ei ddarganfod yn archif Ringelblum. Mae'n hysbysebu dwy gyngerdd gan y Gerddorfa Symffonig Iddewig i'w cynnal yn y geto.

Gwrthsefyll ag arfau mewn gwersylloedd a getos

Roedd ymladd yn ôl yn erbyn y Natsïaid yn hynod o anodd. Roedd y gwarchodwyr yn y gwersylloedd a'r getos wedi cael llawer o hyfforddiant ac roedd ganddyn nhw lawer o arfau. Yn aml, doedd gan yr Iddewon ddim cryfder, cyfle, arfau na hyfforddiant i ymladd yn ôl. Byddai ymladd yn ôl yn sicr wedi arwain at farwolaeth, ac o bosibl at farwolaeth eu teulu, eu ffrindiau a'u cymdogion.

Er gwaethaf y rhesymau sydd wedi'u rhestru uchod, mae'n rhyfeddol pa mor aml y *gwnaeth* Iddewon yn y getos a'r gwersylloedd ymladd yn ôl, fel mae'r map yn ei ddangos. Rhwng 1941 ac 1943, ymddangosodd mudiadau gwrthsefyll trefnedig mewn 100 o getos Iddewig yng ngwledydd dwyrain Ewrop ym meddiant y Natsïaid. Gwnaethon nhw drefnu ymosodiadau yn erbyn y Natsïaid a'u **cynghreiriaid**, a helpu rhai Iddewon i ddianc o'r getos.

Roedd y rhan fwyaf o Iddewon yn cael eu lladd â nwy yn syth ar ôl cyrraedd y gwersylloedd marwolaeth, ond cafodd rhai eu cadw fel carcharorion. Gan fod y carcharorion hyn yn wan a heb arfau, roedd gweithgarwch gwrthsefyll yn anghyffredin iawn, ond roedd rhywfaint yn digwydd o hyd. Dyma enghreifftiau:

- Yn **Treblinka** (Awst 1943), gwnaeth carcharorion Iddewig gipio arfau, rhoi adeiladau'r gwersyll ar dân a rhuthro ar y prif gât. Cafodd llawer ohonyn nhw eu lladd â gynnau peiriant. Er bod dros dri chant wedi dianc, cafodd y rhan fwyaf eu dal a'u lladd.

- Yn **Sobibor** (Hydref 1943), cafodd dwsin o warchodwyr eu lladd gan garcharorion Iddewig a dihangodd tua tri chant ohonyn nhw. Cafodd y rhan fwyaf eu dal a'u lladd yn nes ymlaen, ond llwyddodd tua pum deg i ddianc a goroesi'r rhyfel.

- Yn **Auschwitz-Birkenau** (Hydref 1944), gwnaeth 250 o garcharorion ffrwydro adeiladau, ymosod ar warchodwyr y gwersyll a dianc i'r goedwig gerllaw. Cawson nhw i gyd eu hela a'u dal.

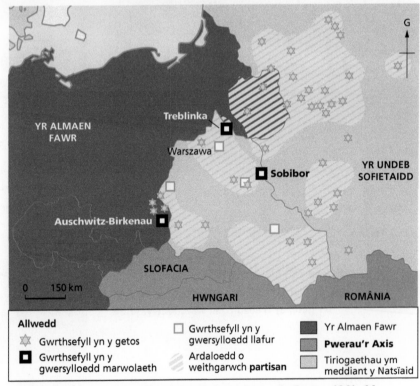

Allwedd

☆ Gwrthsefyll yn y getos

■ Gwrthsefyll yn y gwersylloedd marwolaeth

☐ Gwrthsefyll yn y gwersylloedd llafur

Ardaloedd o weithgarwch **partisan**

Yr Almaen Fawr

Pwerau'r Axis

Tiriogaethau ym meddiant y Natsïaid

Ffigur 5.7 Iddewon yn gwrthsefyll ag arfau yn nwyrain Ewrop, 1941–44.

Gwrthryfel geto Warszawa, Ebrill–Mai 1943

Digwyddodd un o'r gweithredoedd gwrthsefyll ag arfau mwyaf arwyddocaol yn geto Warszawa ym mis Ebrill 1943. Yn ystod yr haf blaenorol, roedd dros 260,000 o Iddewon wedi cael eu allgludo o'r geto a'u llofruddio yn Treblinka. Roedd tua 60,000 o Iddewon ar ôl yn y geto.

Ar 19 Ebrill 1943, daeth milwyr yr Almaen a'r heddlu i mewn i'r geto i allgludo'r rhai a oedd yn dal i fyw yno. Ond saethodd ymladdwyr Iddewig atyn nhw ar unwaith, gan ddefnyddio gynnau a oedd wedi'u smyglo i'r geto. Roedd yn rhaid i'r milwyr gilio. O dan arweiniad Mordechai Anielewicz, a oedd yn 23 oed, gwnaeth yr Iddewon wrthsefyll am bron i fis.

Ymatebodd y milwyr Almaenig yn ddidostur drwy losgi'r geto – un adeilad ar y tro – gan orfodi'r Iddewon i ddod allan o'u cuddfannau. Erbyn 16 Mai 1943, roedd yr Almaenwyr wedi lladd 7,000 o Iddewon (gan gynnwys Anielewicz) ac wedi dinistrio'r geto. Cafodd y rheini a gafodd eu dal eu hanfon i wersylloedd llafur neu eu llofruddio yng ngwersyll marwolaeth Treblinka.

Ffigur 5.8 Iddewon a gafodd eu dal yn ystod gwrthryfel geto Warszawa yn cael eu harwain o'r geto, sy'n llosgi, gan warchodwyr yr SS.

Gweithgareddau

1 Lluniwch restr o'r risgiau a'r peryglon roedd Iddewon yn eu hwynebu wrth ystyried a ddylen nhw ymladd yn ôl ai peidio. Pam roedd hi mor anodd i Iddewon ymladd yn ôl?

2 Mae'r tair enghraifft o wrthsefyll yn y gwersylloedd marwolaeth yn gryno. Defnyddiwch y rhyngrwyd i chwilio am ragor o wybodaeth am y tri achos o wrthsefyll ag arfau yn y gwersylloedd marwolaeth yn 1943 ac 1944. Ysgrifennwch adroddiad o'r digwyddiadau ar gyfer pob un.

Rhywbeth i'w ystyried

Roedd yr Iddewon a wnaeth ymladd yn ôl yng ngwrthryfel geto Warszawa yn gwybod y bydden nhw bron yn sicr o gael eu lladd. Yn eich barn chi, pam dewisodd cynifer ohonyn nhw ymladd?

Gweithgarwch partisaniaid Iddewig

Er gwaethaf rhwystrau enfawr a risgiau anhygoel, mae haneswyr yn awgrymu bod rhwng 20,000 a 30,000 o Iddewon wedi ymuno â'r **partisaniaid**. Roedd y rhan fwyaf o'r partisaniaid yn grwpiau gwrthsefyll a oedd wedi osgoi cael eu dal drwy guddio yng nghoedwigoedd dwyrain Ewrop (e.e. yn Belarus, Lithuania, Gwlad Pwyl ac Ukrain). Fel mae'r cwmwl geiriau yn ei ddangos, roedden nhw'n gyfrifol am lawer o weithgareddau gwrthsefyll.

Dinistrio pontydd, rheilffyrdd a ffyrdd
Dwyn a smyglo arfau
Gweithio gyda'r Cynghreiriaid i drechu'r Natsïaid
Ffugio papurau adnabod
PARTISANIAID
Ymosod ar y gelyn
Smyglo bwyd i'r getos
Helpu pobl i ddianc o wersylloedd a getos
Amddiffyn teuluoedd

Ffigur 5.9
Grŵp o bartisaniaid yn symud drwy Ukrain.

Partisaniaid Bielski

Sefydlodd tri brawd Iddewig, o'r enw Bielski, grŵp partisan yng nghoedwig Naliboki yn Belarus. Roedd y grŵp yn ymladd yn erbyn yr Almaenwyr a'u cydweithredwyr. Roedden nhw hefyd yn amddiffyn teuluoedd a gwnaethon nhw sefydlu cymuned a oedd yn ffynnu, gan gynnwys melin, popty, ysgol a synagog. O dan warchodaeth grŵp Bielski, llwyddodd tua 1,200 o Iddewon i oroesi'r rhyfel.

Ffigur 5.10 Iddewon yng ngwersyll y teulu Bielski yng nghoedwig Naliboki, Mai 1944.

Gweithgareddau

1 Gwnaeth partisaniaid Bielski guddio yn y goedwig am bron i bum mlynedd. Pa beryglon roedden nhw'n eu hwynebu? Pam rydych chi'n credu y bu i 1,200 o bobl oroesi?

2 Roedd cuddio rhag y Natsïaid a'u cydweithredwyr hefyd yn fath o wrthsefyll. Un enghraifft enwog o hyn yw stori Anne Frank. Chwiliwch am ragor o wybodaeth am Anne a'i theulu, ac esboniwch sut gwnaethon nhw wrthsefyll y Natsïaid. Beth ddigwyddodd iddyn nhw?

Gweithgarwch gwrthsefyll Iddewon ledled Ewrop

Gwelwyd achosion o wrthsefyll ag arfau mewn rhannau eraill o Ewrop hefyd. Er enghraifft, yn Ffrainc, gwnaeth yr Armée Juive (y Fyddin Iddewig) helpu Iddewon i ddianc o wledydd Ewrop a oedd ym meddiant y Natsïaid, a gwnaethon nhw gymryd rhan mewn gwrthryfeloedd yn erbyn milwyr yr Almaen yn Paris a Lyon.

5.2 Pwy oedd yn gyfrifol?

Pam cafodd chwe miliwn o Iddewon eu llofruddio yn ystod yr Ail Ryfel Byd? Byddai llawer o bobl yn dweud oherwydd bod Hitler yn casáu Iddewon. Ond un dyn yn unig oedd Hitler ac ni fyddai wedi gallu lladd miliynau o bobl ar ei ben ei hun. Nid yw esbonio sut digwyddodd yr Holocost, a pham, yn hawdd nac yn syml. Ond nid yw'n amhosibl. Un lle da i ddechrau yw gofyn pwy wnaeth beth, a meddwl am ganlyniadau'r gweithredoedd hynny. Mae hyn yn ein galluogi ni i ddechrau ystyried beth yn union roedd pobl yn gyfrifol amdano. Ar y tudalennau canlynol, byddwch yn dysgu am weithredoedd rhai pobl penodol.

Eleonore Gusenbauer

Roedd tŷ Gusenbauer yn edrych i lawr ar chwarel lle roedd carcharorion o wersyll crynhoi Mauthausen yn cael eu gorfodi i wneud llafur corfforol caled. Ar 27 Medi 1941, ysgrifennodd lythyr at yr heddlu lleol:

'Mae'r carcharorion … yn cael eu saethu'n barhaus … Mae'r rhai sy'n cael eu saethu yn aros yn fyw am gyfnod ac yn gorwedd wrth ymyl y meirw am oriau, ac mewn rhai achosion am hanner diwrnod. Mae fy eiddo ar lethr gerllaw … ac felly rwy'n aml yn dyst anfodlon i ddrwgweithredoedd o'r fath. Rwy'n wael fy iechyd beth bynnag, ac mae golygfeydd o'r fath yn cael y fath effaith ar fy nerfau, ni fyddaf yn gallu ei ddioddef yn llawer hirach. Gofynnaf i chi drefnu bod gweithredoedd creulon o'r fath yn dod i ben, neu o leiaf yn cael eu cynnal o'r golwg.'

Gweithgareddau

1 Trafodwch yr astudiaethau achos yn y bennod hon. Ar gyfer pob un, ysgrifennwch beth a wnaethpwyd a beth oedd canlyniadau'r gweithredoedd hyn.

2 Pa mor gyfrifol (neu beidio) oedd y bobl hyn am yr Holocost? Defnyddiwch eich nodiadau o weithgaredd 1 ac ychwanegwch atyn nhw.

Y 'Meistr Marwolaeth'

Ar 23 Mehefin 1941, gwnaeth byddin yr Almaen feddiannu Kaunas yn Lithuania. Ddeuddydd yn ddiweddarach, daeth Walter Stahlecker – pennaeth un o'r *Einsatzgruppen* – i ymweld â'r ddinas. Rhoddodd areithiau gwrth-Semitig gan annog trais yn erbyn Iddewon a oedd yn byw yn Kaunas. Gwnaeth pobl ddilyn ei gyfarwyddyd yn gyflym iawn, a dros y pedwar diwrnod nesaf, cafodd tua 3,800 o Iddewon eu llofruddio. Digwyddodd un o'r digwyddiadau gwaethaf o flaen garej. Cafodd Iddewon eu llusgo ar yr iard lle cawson nhw eu curo i farwolaeth gan sifiliaid lleol. Rhoddwyd yr enw 'Meistr Marwolaeth' (neu *Death Dealer*) ar un o'r dynion hyn. Gan ddefnyddio bar haearn enfawr, byddai'n malu penglogau pobl wrth i'r dorf wylio gan guro dwylo, bloeddio a chymeradwyo.

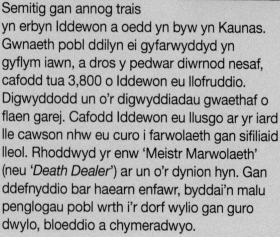

Prynu a gwerthu eiddo

Pan oedd yr Iddewon yn cael eu hallgludo o orllewin Ewrop, dim ond nifer bach o eitemau personol fyddai'n cael mynd gyda nhw. Yna, roedd y cartrefi a'r eiddo roedden nhw wedi'u gadael ar ôl yn cael eu cynnig i'w cymdogion i'w prynu am brisiau isel. Fel arfer, byddai dioddefwyr yr 'Holocost drwy fwledi' yn nwyrain Ewrop yn cael gwybod eu bod am gael eu symud i rywle arall, ac felly roedden nhw'n cael mynd â rhai eitemau personol gyda nhw. Ond byddai'r eitemau hyn yn cael eu cymryd, ynghyd â'u dillad, cyn i'r dioddefwyr gael eu lladd. Weithiau byddai'r eitemau yn cael eu dosbarthu neu eu gwerthu i'r boblogaeth leol. Bryd arall, bydden nhw'n cael eu hanfon yn ôl i'r Almaen i'w rhoi fel anrhegion neu eu gwerthu.

Heddwas yn Lithuania yn dychwelyd o ddigwyddiad saethu torfol, ac yn gwerthu eitemau a oedd yn berchen i Iddewon, Gorffennaf/Awst 1941.

Dynion Trawniki

Roedd gwersyll arbennig ym mhentref Trawniki, mewn rhan o Wlad Pwyl ym meddiant yr Almaen. Rhwng mis Medi 1941 a haf 1944, cafodd tua 5,000 o garcharorion rhyfel Sofietaidd eu hanfon yno i gael eu hyfforddi. Roedd y rhan fwyaf ohonyn nhw'n dod o Ukrain, Latvia neu Lithuania. Cynigiwyd cyfle iddyn nhw osgoi newyn a chlefyd mewn gwersylloedd i garcharorion rhyfel, yn gyfnewid am weithio i'r Almaenwyr. O hydref 1942 ymlaen, cafodd sifiliaid o'r gwledydd wedi'u meddiannu eu recriwtio hefyd. Ar ôl cael yr hyfforddiant, byddai dynion Trawniki yn gweithio yn y gwersylloedd marwolaeth ac yn helpu i **allgludo** pobl o'r getos. Mae'r dynion yn y ffotograff hwn yng ngwersyll Belzec yn 1942.

René Bousquet

Yn yr 1930au, daeth Bousquet yn gymeriad arwyddocaol yng ngwleidyddiaeth Ffrainc. Yn 1942, daeth yn Bennaeth yr Heddlu. Fel rhan o'r bargeinion a wnaeth gyda'r Almaenwyr, daeth Bousquet yn gysylltiedig ag allgludo Iddewon o Ffrainc. Er enghraifft, dros ddeuddydd yn ystod haf 1942, rhoddodd Bousquet orchymyn i heddlu Ffrainc arestio tua 12,000 o ddynion, menywod a phlant Iddewig ym Mharis. Cawson nhw eu hanfon i wersyll dros dro cyn cael eu cludo i Auschwitz. Yn ddiweddarach, ym mis Ionawr 1943, gweithiodd Bousquet gyda'r Almaenwyr i gasglu dros 2,000 o Iddewon ynghyd, a'u hallgludo i wersylloedd yn y dwyrain.

René Bousquet, ar y dde, yn gwenu (23 Ionawr 1943).

Gertrude Segel

Roedd Segel yn gweithio fel teipydd i'r Gestapo yn Wien. Ar ddechrau 1941, gwirfoddolodd i weithio i'r heddlu diogelwch mewn rhan o Wlad Pwyl ym meddiant yr Almaen. Yno dechreuodd berthynas gyda chadlywydd yn yr SS, Felix Landau. Ymunodd Segel â Landau ar ôl iddo gael ei anfon i Ukrain. Roedden nhw'n byw mewn tŷ wedi'i ddwyn gyda nwyddau wedi'u dwyn, ac roedd ganddyn nhw falconi lle bydden nhw'n arfer eistedd a gwylio'r gweithwyr Iddewig yn eu gardd. Un diwrnod, saethodd naill ai Segel neu Landau un o'r gweithwyr yn farw o'r balconi. Dro arall, gwnaethon nhw gyhuddo dyn Iddewig ar gam o ddwyn mwclis oddi ar Segel. Pan wadodd yntau ei fod wedi dwyn y mwclis, curodd Landau ef wrth i Segel ei wylio.

Adolf Hitler

Roedd gan Adolf Hitler obsesiwn ag Iddewon ac roedd yn hynod o wrth-Semitig. Roedd Hitler yn beio Iddewon drwy'r amser am broblemau'r Almaen, ac yn honni bod Iddewon ym mhedwar ban y byd yn bygwth dyfodol yr 'hil Ariaidd'. Ag yntau'n arweinydd ar yr Almaen Natsïaidd, roedd mewn sefyllfa i ledaenu ei gasineb tuag at Iddewon. Gwnaeth hynny mewn ffyrdd gwahanol. Weithiau byddai'n rhoi gorchmynion a oedd yn cael effaith uniongyrchol ar Iddewon. Dro arall, byddai pobl o'i amgylch yn ceisio dyfalu beth roedd Hitler ei eisiau ac yn cyflwyno mesurau newydd, mwy llym a oedd yn targedu Iddewon. Yn y ddwy achos, roedd bob amser yn gwybod yn iawn beth oedd yn digwydd i Iddewon Ewrop.

Otto Julius Schimke

Er mwyn cadw trefn yn y tiriogaethau a gafodd eu goresgyn gan yr Almaen Natsïaidd, derbyniodd heddweision cyffredin yr Almaen hyfforddiant milwrol. Cawson nhw eu grwpio yn fataliynau, ac yna eu hanfon i'r dwyrain. Yno, roedden nhw'n gwarchod y getos ac yn allgludo pobl i'r gwersylloedd marwolaeth. Ar 13 Gorffennaf 1942, cyrhaeddodd Bataliwn yr Heddlu 101 gyrion pentref Pwylaidd o'r enw Józefów. Am y tro cyntaf, rhoddodd eu cadlywydd, yr Uwch-gapten Trapp, orchymyn iddyn nhw gasglu'r holl fenywod, plant a phobl oedrannus Iddewig yn y pentref ynghyd, mynd â nhw i'r goedwig a'u saethu. Dywedodd Trapp y byddai unrhyw un na fyddai'n gallu gwneud hyn yn cael dyletswyddau eraill i'w gwneud. O blith 468 o ddynion, dim ond 12 wnaeth ddewis gofyn am ddyletswyddau eraill, gan gynnwys

Aelodau o Fataliwn 101 yn dathlu'r Nadolig, 1940.

Schimke. Ni wnaeth ef na'r 11 dyn arall saethu neb yn Józefów. Yn hytrach, roedden nhw'n gyfrifol am gadw llygad ar y Iddewon wrth iddyn nhw ymgasglu yn sgwâr y pentref. Ni wnaeth Schimke gymryd rhan mewn unrhyw ddigwyddiadau saethu eraill chwaith. Ond, roedd yn rhan o dasg arall y Bataliwn: lladd partisaniaid (gweler tudalen 71).

I.G. Farben

I.G. Farben oedd enw casgliad o gwmnïau a oedd yn arbenigo mewn cemegion. Daeth y rhain yn bwysig iawn i'r Natsïaid yn ystod yr Ail Ryfel Byd. Yn ystod gwanwyn 1941, rhoddodd y Natsïaid ganiatâd i'r cwmni adeiladu canolfan ddiwydiannol fawr yng Ngwlad Pwyl, saith cilometr o Auschwitz. Cafodd carcharorion o Auschwitz eu defnyddio fel caethlafur i adeiladu ffatri fawr. Roedd I.G. Farben yna yn talu cyfradd isel i'r SS, er mwyn i'r carcharorion hyn weithio yn y ganolfan. Yn 1942, adeiladwyd gwersyll o'r enw Auschwitz-Monowitz III y drws nesaf i'r ffatri, i gadw'r carcharorion. Bu farw tua 30,000 o bobl yno oherwydd diffyg bwyd ac amodau gwaith caled.

Ffatri I.G. Farben yn cael ei hadeiladu, 1942.

Gweithwyr yn swyddfa cyfrifiad yr Almaen

Ym mis Mai 1939, roedd rhaid i bob cartref yn yr Almaen Fawr lenwi ffurflen yn nodi enw, oedran, swydd, crefydd a 'hil' pawb a oedd yn byw yn y tŷ. Roedd y data yna'n cael eu dadansoddi gan filoedd o weithwyr swyddfa. Gan ddefnyddio'r ffurflenni, byddan nhw'n rhoi tyllau mewn cardiau i gofnodi'r wybodaeth. Yna, byddai'r cardiau hyn yn cael eu bwydo i ryw fath o gyfrifiadur cynnar i greu cofrestr. Cafodd y broses gofrestru hon ei hailadrodd wrth i'r Almaen oresgyn gwledydd eraill. Roedd y wybodaeth yn helpu'r Natsïaid i ddarganfod ac adnabod y bobl roedden nhw eisiau eu casglu ynghyd, eu hallgludo, a hyd yn oed eu llofruddio.

Henryk Gawkowski

Yn ystod yr Holocost, cafodd miliynau o bobl eu cludo ar draws pellteroedd maith i wersylloedd a getos. Roedd hyn yn gofyn am waith cynllunio a chydweithio enfawr ar draws rhwydweithiau rheilffyrdd Ewrop. Roedd Gawkowski yn byw ger Treblinka. Pan oedd yn ei ugeiniau cynnar, roedd yn gweithio i gwmni rheilffordd a oedd yn cael ei redeg gan yr Almaen. Rhwng 1942 ac 1943, roedd Gawkowski yn gyrru trenau ddwy neu dair gwaith yr wythnos i Treblinka o ddinasoedd yn y rhannau o Wlad Pwyl ym meddiant yr Almaen. Roedd yn cael ei dalu ac yn derbyn fodca fel bonws, a byddai'n ei yfed i ymdopi

Gawkowski yn ailgreu gyrru trên i Treblinka ar gyfer y rhaglen ddogfen, _Shoah_, 1985.

â'r arogl. Amcangyfrifodd ei fod wedi cludo cyfanswm o tua 18,000 o Iddewon i'r gwersyll. Ar ôl y rhyfel, gan ei fod yn gwybod beth oedd wedi digwydd i'r bobl roedd wedi helpu i'w cludo, 'roedd pethau'n anodd iawn iddo'. Roedd Gawkowski yn cael hunllefau am weddill ei fywyd.

5.3 Wnaeth unrhyw un geisio achub yr Iddewon?

Roedd ymddygiad pobl nad oedden nhw'n Iddewon yn ystod yr Holocost yn amrywio'n fawr. Gwnaethpwyd dim byd gan y rhan fwyaf o bobl yn Ewrop wrth i'r Iddewon gael eu hel at ei gilydd a'u cipio ymaith. Roedd rhai yn rhy ofnus i wneud dim. Roedd rhai am amddiffyn eu teuluoedd drwy gadw allan o'r ffordd. Doedd dim ots gan eraill am yr hyn oedd yn digwydd i Iddewon, ac roedd eraill yn cytuno â'r erledigaeth yn eu herbyn. Gwnaeth llawer o bobl gydweithredu â'r Natsïaid, neu hyd yn oed arwain eu hymosodiadau eu hun yn erbyn Iddewon. Gwnaeth eraill elwa ar eiddo eu cymdogion Iddewig.

Eto i gyd, roedd rhai pobl yn dewis helpu'r Iddewon, gan wynebu risg mawr wrth wneud hynny. Cafodd Iddewon eu hachub mewn sawl ffordd: roedd rhai pobl yn darparu bwyd neu loches i Iddewon, roedd eraill yn rhoi dogfennau hunaniaeth ffug iddyn nhw, ac eraill yn helpu Iddewon i guddio neu i ddianc. Roedd y rhan fwyaf o'r ymdrechion i'w hachub yn cael eu harwain gan grwpiau neu fudiadau, ac roedden nhw'n cynnwys rhwydweithiau o bobl.

Pam gwnaeth rhai pobl ddewis achub Iddewon, a rhai eraill ddewis gwneud dim byd?

Wrth ystyried pam gwnaeth rhai pobl ddewis achub Iddewon, wrth i bobl eraill ddewis gwneud dim byd, mae'n bwysig cofio bod yr amodau mewn rhannau gwahanol o Ewrop yn amrywio. Roedd y Natsïaid, er enghraifft, yn llawer mwy creulon a didostur tuag at bobl Gwlad Pwyl nag oedden nhw tuag at bobl Denmarc. Dylen ni gofio hefyd bod pobl wahanol yn meddwl ac yn ymddwyn mewn ffyrdd gwahanol am resymau

gwahanol. Fel arfer, roedd gan achubwyr hanes o helpu pobl mewn angen, ac roedden nhw'n gweithredu yn unol â'u credoau, heb boeni am farn pobl eraill. Doedd y rhan fwyaf o achubwyr ddim wedi bwriadu achub Iddewon, ond wedi dewis gwneud hynny wrth i'r cyfle godi.

Ar y tudalennau nesaf, byddwch yn darllen straeon am ymdrechion i achub Iddewon. Nid dyma'r unig enghreifftiau – mae llawer iawn o straeon tebyg yn bodoli ac roedd yr achubwyr yn dod o bob gwlad ledled Ewrop.

Rhywbeth i'w ystyried

Roedd achubwyr yn wynebu risgiau enfawr wrth achub Iddewon. Fodd bynnag, darganfu Nechama Tec, ysgolhaig yr Holocost, nad oedd y rhan fwyaf o achubwyr yn credu bod eu gweithredoedd yn arwrol. Pam roedden nhw'n credu hynny, yn eich barn chi?

Astudiaeth achos: Denmarc

Gwnaeth yr Almaen feddiannu Denmarc yn 1940 (gweler tudalen 45). O ddechrau'r cyfnod ym meddiant y Natsïaid, gwnaeth llywodraeth Denmarc amddiffyn Iddewon Denmarc rhag **gwahaniaethu**. Ym mis Hydref 1943, gwnaeth pobl Denmarc wrthod ufuddhau i orchmynion yr Almaen i hel yr Iddewon ynghyd a'u hallgludo o Denmarc. Yn hytrach, aethon nhw ati i drefnu ymgyrch i'w hachub. Gwnaethon nhw helpu Iddewon i guddio a chyrraedd yr arfordir yn gyfrinachol. Oddi yno, roedd pysgotwyr yn eu cludo i Sweden, gwlad niwtral, a oedd wedi cytuno i'w derbyn (gweler Ffigur 5.11). Bu mudiad gwrthsefyll Denmarc, yr heddlu, y llywodraeth a phobl gyffredin yn cymryd rhan yn yr ymgyrch achub. Mewn ychydig dros dair wythnos, roedd pobl Denmarc wedi cludo dros 7,000 o Iddewon i Sweden. Gwnaethon nhw achub dros 95 y cant o boblogaeth Iddewig Denmarc.

Y teulu Thomsen

Roedd Henry Christian Thomsen a'i wraig Ellen Margrethe yn cadw tafarn ym mhentref Snekkersten yn Denmarc. Roedden nhw'n aelodau gweithgar o'r mudiad gwrthsefyll. Roedden nhw'n cynnig lloches i Iddewon oedd ar ffo yn eu tafarn nes bod y pysgotwyr yn gallu mynd â nhw i Sweden. Gwnaeth llawer o bentrefwyr, gan gynnwys yr heddlu lleol, eu helpu. Aeth Henry ei hun hyd yn oed ag Iddewon i Sweden ar gwch i'w helpu i ddianc. Cafodd Henry ei arestio gan y Gestapo ym mis Awst 1944 a'i anfon i wersyll crynhoi Neuengamme yn yr Almaen. Bu farw yno bedwar mis yn ddiweddarach.

Ffynhonnell 5.1

... roedd gweithgarwch anghyfreithlon yr Almaenwyr yn erbyn yr Iddewon yn [cael ei weld] fel cythruddiad diangen gan yr Almaenwyr yn erbyn gwerthoedd craidd cenedl Denmarc. Beirniadwyd y gweithgarwch yn 'wrth-Ddanaidd' gan fod Iddewon yn cael eu hystyried yn rhan annatod o ddiwylliant Denmarc.

Karl Christian Lammers, ysgolhaig yr Holocost

Gweithgareddau

1 Beth mae Ffynhonnell 5.1 yn ei ddweud wrthoch chi ynglŷn â pham gwnaeth pobl Denmarc achub Iddewon?

2 Ceisiwch ddarganfod mwy ynglŷn â pham roedd pobl Denmarc yn achub Iddewon, a pha amodau oedd yn ei gwneud yn bosibl eu hachub.

Ffigur 5.11 Ffoaduriaid Iddewig yn cael eu cludo o Denmarc ar gychod pysgota Danaidd ar eu ffordd i Sweden.

Astudiaeth achos: Albania

Yn 1939, roedd Albania wedi cael ei meddiannu gan yr Eidal, un o gynghreiriaid yr Almaen. Roedd llywodraeth ffasgaidd yr Eidal yn gweithredu polisïau gwrth-Semitig, ond nid oedd yn allgludo Iddewon i wersylloedd marwolaeth. Yn 1943, gwnaeth yr Eidal ildio i **bwerau'r Cynghreiriaid**, ond gwnaeth milwyr yr Almaen feddiannu gogledd yr Eidal ac Albania hefyd. Rhwng 1943 ac 1945, cafodd tua 8,000 o Iddewon o'r Eidal eu hallgludo i'r gwersylloedd marwolaeth gan y Natsïaid. Fodd bynnag, yn Albania, gwnaeth y Natsïaid wynebu rhagor o wrthwynebiad.

Pan gwnaethon nhw fynnu bod awdurdodau Albania yn trosglwyddo'r holl Iddewon yn y wlad er mwyn eu hallgludo, gwrthod wnaeth awdurdodau Albania. Gwnaethon nhw roi dogfennau hunaniaeth ffug i lawer o deuluoedd Iddewig. Roedd llawer o bobl Albania yn fodlon cuddio teuluoedd Iddewig yn eu cartref hefyd. Gwnaethon nhw amddiffyn **ffoaduriaid** Iddewig a oedd wedi cyrraedd o rannau eraill o Ewrop, yn ogystal â dinasyddion Albania. Erbyn diwedd y rhyfel, roedd Albania wedi achub y 2,000 o Iddewon a oedd yn byw o fewn ffiniau'r wlad.

Y teulu Veseli

Roedd Moshe ac Ela Mandil a'u plant, Gavra ac Irena, yn deulu Iddewig a oedd yn byw yn Iwgoslafia. Pan wnaeth yr Almaen oresgyn Iwgoslafia ym mis Awst 1941, gwnaeth y teulu ffoi i Kosovo ac yna i Albania. Cafodd Moshe swydd yn siop ffotograffiaeth hen ffrind iddo, ac yno cyfarfu â Refik Veseli, a oedd yn 17 oed ar y pryd. Ar ôl i'r Almaen oresgyn Albania, aeth Veseli â'r teulu Mandil i gartref ei rieni yn y mynyddoedd. Yn Kruja, cafodd y teulu Mandil loches gan y teulu Veseli am naw mis nes i Albania gael ei **rhyddhau**.

Gavra Mandil a Refik Veseli yn Tirana, 1944.

Ffynhonnell 5.2

Pan ofynnwyd i fy ngŵr sut roedd yn bosibl i gynifer o bobl Albania helpu i guddio Iddewon a'u hamddiffyn, dywedodd: 'Does dim tramorwyr yn Albania, dim ond gwesteion.' Mae ein cod moesol yn golygu ei bod yn ofynnol i ni groesawu gwesteion i'n cartref ac i'n gwlad.

Drita Veseli, gwraig Refik Veseli

Gweithgareddau

1 Beth mae Ffynhonnell 5.2 yn ei ddweud wrthoch chi ynglŷn â pham gwnaeth pobl Albania amddiffyn ac achub Iddewon?

2 Enw'r cod moesol mae Drita yn sôn amdano yn Ffynhonnell 5.2 yw 'Besa'. Ceisiwch ddod o hyd i ragor o wybodaeth amdano.

'Cyfiawn Ymhlith y Cenhedloedd'

Mae Denmarc ac Albania yn ddwy enghraifft o ymdrechion ar y cyd i achub Iddewon. Mewn rhannau eraill o Ewrop, cafodd Iddewon gymorth gan unigolion nad oedden nhw'n Iddewon. Mae'r unigolion hyn yn cael eu cydnabod gan wladwriaeth **Israel** ac yn cael y teitl anrhydeddus 'Cyfiawn Ymhlith y Cenhedloedd'. Heddiw, mae 27,362 o bobl o bob rhan o'r byd yn cael eu hystyried yn bobl Cyfiawn.

Chiune Sugihara

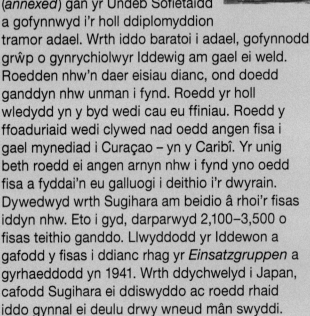

Roedd Chiune-Sempo Sugihara yn ddiplomydd Japaneaidd yn Lithuania. Yn ystod haf 1940, cafodd Lithuania ei chyfeddiannu (*annexed*) gan yr Undeb Sofietaidd a gofynnwyd i'r holl ddiplomyddion tramor adael. Wrth iddo baratoi i adael, gofynnodd grŵp o gynrychiolwyr Iddewig am gael ei weld. Roedden nhw'n daer eisiau dianc, ond doedd ganddyn nhw unman i fynd. Roedd yr holl wledydd yn y byd wedi cau eu ffiniau. Roedd y ffoaduriaid wedi clywed nad oedd angen fisa i gael mynediad i Curaçao – yn y Caribî. Yr unig beth roedd ei angen arnyn nhw i fynd yno oedd fisa a fyddai'n eu galluogi i deithio i'r dwyrain. Dywedwyd wrth Sugihara am beidio â rhoi'r fisas iddyn nhw. Eto i gyd, darparwyd 2,100–3,500 o fisas teithio ganddo. Llwyddodd yr Iddewon a gafodd y fisas i ddianc rhag yr *Einsatzgruppen* a gyrhaeddodd yn 1941. Wrth ddychwelyd i Japan, cafodd Sugihara ei ddiswyddo ac roedd rhaid iddo gynnal ei deulu drwy wneud mân swyddi.

Irena Sendler

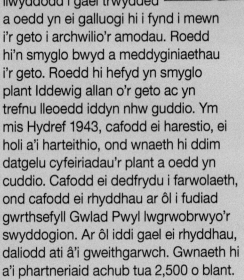

Roedd Irena yn weithiwr cymdeithasol o Wlad Pwyl. Pan gafodd geto Warszawa ei greu, llwyddodd i gael trwydded a oedd yn ei galluogi hi i fynd i mewn i'r geto i archwilio'r amodau. Roedd hi'n smyglo bwyd a meddyginiaethau i'r geto. Roedd hi hefyd yn smyglo plant Iddewig allan o'r geto ac yn trefnu lleoedd iddyn nhw guddio. Ym mis Hydref 1943, cafodd ei harestio, ei holi a'i harteithio, ond wnaeth hi ddim datgelu cyfeiriadau'r plant a oedd yn cuddio. Cafodd ei dedfrydu i farwolaeth, ond cafodd ei rhyddhau ar ôl i fudiad gwrthsefyll Gwlad Pwyl lwgrwobrwyo'r swyddogion. Ar ôl iddi gael ei rhyddhau, daliodd ati â'i gweithgarwch. Gwnaeth hi a'i phartneriaid achub tua 2,500 o blant.

Gweithgareddau

1 Pa ddewisiadau oedd gan Irena ar ddechrau ei stori? Pa ddewisiadau oedd ganddi pan gafodd ei harestio? Beth wnaeth hi benderfynu ei wneud ym mhob achos? Beth oedd y risgiau a gymerodd Irena ac, yn eich barn chi, pam gwnaeth hi benderfynu eu cymryd?

2 Yn eich barn chi, pam gwnaeth Chiune benderfynu gwrthod ufuddhau i'w orchmynion, gan roi'r fisas i'r Iddewon? Beth oedd canlyniadau ei benderfyniad?

Rhywbeth i'w ystyried

Roedd llawer o bobl yn anghytuno â'r hyn oedd yn digwydd i Iddewon. Fodd bynnag, gwnaethon nhw benderfynu peidio ag ymyrryd i'w helpu nhw, fel arfer gan eu bod yn ofni am eu diogelwch eu hun a diogelwch eu teulu. Yn eich barn chi, a yw'r bobl hynny yn gyfrifol i ryw raddau am yr hyn ddigwyddodd i Iddewon? Esboniwch eich ateb.

5.4 Sut gwnaeth llywodraeth Prydain ymateb i'r Holocost?

Mae rhai pobl yn credu, a hynny yn anghywir, nad oedd llywodraeth Prydain yn gwybod bod Iddewon Ewrop yn cael eu herlid a'u llofruddio, neu bod Prydain wedi mynd i ryfel yn erbyn yr Almaen Natsïaidd i achub Iddewon Ewrop. Dydy hynny ddim yn wir. Mae'r rhan fwyaf o haneswyr yn cytuno ar y canlynol:

- Aeth Prydain i ryfel yn erbyn yr Almaen Natsïaidd gan fod yr Almaen wedi goresgyn Gwlad Pwyl ym mis Medi 1939.

- Roedd y bobl a oedd yn gwneud penderfyniadau ym Mhrydain yn gwybod am y llofruddio torfol yn yr Undeb Sofietaidd, a bod Iddewon yn benodol yn cael eu llofruddio, mor gynnar â mis Gorffennaf 1941.

- Yn ystod haf 1941, doedd y rhyfel ddim yn mynd yn dda iawn i Brydain. Doedd fawr ddim y bydden nhw wedi gallu ei wneud i helpu Iddewon Ewrop.

- Dywedodd llywodraeth Prydain sawl tro mai'r ffordd orau o helpu Iddewon Ewrop oedd trechu'r Almaen Natsïaidd ac ennill y rhyfel.

- Dywedodd llywodraeth Prydain y byddai'n cosbi'r lladdwyr pan fyddai'r rhyfel ar ben.

Gweithgareddau

Trefnwch y digwyddiadau yn y llinell amser isod yn ddau gategori: gwybodaeth ac ymateb. Efallai bydd rhai digwyddiadau yn perthyn i'r ddau gategori.

1 Pa wybodaeth oedd gan llywodraeth Prydain am erledigaeth yr Iddewon yn Ewrop, a'r llofruddio torfol a oedd yn digwydd?

2 Sut gwnaeth y llywodraeth ymateb i'r wybodaeth hon?

Beth oedd llywodraeth Prydain yn ei wybod a sut gwnaeth y llywodraeth ymateb?

Digwyddiadau allweddol

Tachwedd 1938 Ar ôl *Kristallnacht* (gweler tudalen 40), gofynnodd mudiadau cymorth i lywodraeth Prydain ganiatáu mynediad i Brydain i Iddewon yr Almaen ac Awstria. Daeth cyfanswm o tua 80,000 o ffoaduriaid Iddewig i Brydain. Canran fach yn unig oedd hyn o'r rhai mewn angen.

Rhagfyr 1938 Gwnaeth y *Kindertransport* cyntaf gyrraedd Prydain. Arweiniodd y cynllun hwn at gyfanswm o 10,000 o blant Iddewig yn dod i Brydain o wledydd o dan reolaeth y Natsïaid (gweler tudalen 82).

Mai 1939 Roedd rhai Iddewon eisiau mynd i Balesteina (mae llawer o'r rhanbarth hwn yn adnabyddus fel Israel heddiw). Dyma lle bu i Iddewiaeth ddechrau, a dyma yw'r lle mwyaf sanctaidd i Iddewon. Roedd Palesteina yn cael ei rheoli gan Brydain (**Mandad Prydeinig Palesteina**). I osgoi aflonyddwch ymysg y boblogaeth Arabaidd, gwnaeth llywodraeth Prydain gyflwyno cyfyngiadau llym ar fewnfudiad Iddewon i Fandad Prydeinig Palesteina. Ni chafodd y cyfyngiadau hyn eu llacio yn ystod y rhyfel, nac ar ôl y rhyfel.

1940 Ddechrau 1940, doedd y rhyfel ddim yn mynd yn dda iawn i Brydain. Roedd ymdeimlad cynyddol o wrthwynebu tramorwyr ym Mhrydain, a oedd yn cael ei yrru yn rhannol gan y cyfryngau. Oherwydd yr awyrgylch hwn, gwnaeth y llywodraeth garcharu miloedd o Almaenwyr ac Awstriaid, gan gynnwys 27,000 o ffoaduriaid Iddewig. Cafodd y mwyafrif eu rhyddhau yn ddiweddarach y flwyddyn honno, ond roedd y profiad yn un trawmatig i lawer.

Gorffennaf–Awst 1941 Roedd negeseuon radio yr Almaen yn cael eu dadgodio ym Mharc Bletchley. Roedd y negeseuon hyn yn cynnwys manylion y niferoedd o bobl, gan gynnwys Iddewon, a oedd yn cael eu saethu gan yr heddlu a milwyr yr SS wrth iddyn nhw wneud cynnydd yn yr Undeb Sofietaidd.

24 Awst 1941 Gwnaethpwyd araith gan Brif Weinidog Prydain, Winston Churchill. Yn yr araith, a gafodd ei darlledu gan y BBC, roedd yn cyfeirio at weithredoedd unedau heddlu'r Almaen yn yr Undeb Sofietaidd, a dywedodd 'Rydyn ni ym mhresenoldeb trosedd ddi-enw.'

Ymatebion posibl

Mae haneswyr yn dal i ddadlau ynglŷn â'r hyn y gallai Prydain fod wedi ei wneud i helpu Iddewon. Dyma bedair enghraifft:

- *Bomio'r rheilffyrdd i Auschwitz.* Hyd at 1943, nid oedd awyrennau Prydain o fewn cyrraedd. O fis Mai 1944 ymlaen, ar ôl cipio meysydd awyr yr Eidal, roedd awyrennau Prydain o fewn cyrraedd i allu bomio Auschwitz. Gallai bomio'r rheilffyrdd fod wedi achosi oedi neu amharu ar y broses o lofruddio Iddewon Hwngari yn 1944 (gweler tudalen 62).

- *Caniatáu rhagor o ffoaduriaid i ddod i Brydain a Mandad Prydeinig Palesteina.* Yn yr 1930au, roedd llywodraeth Prydain yn poeni y byddai niferoedd cynyddol o ffoaduriaid yn amhoblogaidd. Os bydden nhw'n caniatáu i ragor fynd i Fandad Prydeinig Palesteina, roedden nhw'n ofni y byddai'n arwain at weld yr Arabiaid yn cefnogi'r Almaen Natsïaidd. Ond byddai gwneud hyn wedi galluogi rhagor o Iddewon i gyrraedd lle diogel.

- *Cynorthwyo grwpiau o Iddewon a oedd yn gweithio mewn rhannau o Ewrop ym meddiant y Natsïaid.* Gallai Prydain fod wedi anfon arian i helpu mudiadau Iddewig tanddaearol a oedd yn gweithio mewn rhannau o Ewrop ym meddiant y Natsïaid. Byddai hyn wedi helpu Iddewon a oedd yn cuddio, a'r bobl a oedd yn ceisio gwrthwynebu'r Natsïaid, gan helpu rhagor o Iddewon i oroesi.

- *Cynnig cymorth i Iddewon a oedd yn llwyddo i ddianc.* Gallai Prydain fod wedi cynnig cymorth i unrhyw ffoaduriaid Iddewig a oedd yn dianc i wledydd niwtral, fel Sweden a'r Swistir. Byddai hyn wedi galluogi rhagor o Iddewon i gyrraedd lle diogel.

> **Rhywbeth i'w ystyried**
> Yn eich barn chi, o blith yr opsiynau hyn, beth, os unrhyw beth, y dylai Prydain fod wedi ei wneud?

5 Mehefin 1942 Gwnaeth *he Daily Telegraph* gyhoeddi ...od 700,000 o Iddewon o Vlad Pwyl wedi cael eu lofruddio, gan enwi ...helmno fel un o'r safleoedd add (gweler Pennod 4.4). ...Mudiad gwrthsefyll Gwlad wyl oedd yn gyfrifol am ...asio'r wybodaeth ymlaen i ...rydain.

Awst 1942 Cafodd Swyddfa ...ramor Prydain adroddiad a ...daeth yn adnabyddus fel ...elegram Riegner. Roedd yr ...droddiad hwn yn rhoi ...wybod i lywodraeth Prydain ...m gynllun y Natsïaid i ...add miliynau o Iddewon ...wrop.

17 Rhagfyr 1942 Wrth dderbyn mwy a mwy o wybodaeth am lofruddio Iddewon yn Ewrop, roedd y llywodraeth yn teimlo bod rhaid gweithredu. Gwnaeth Anthony Eden, Ysgrifennydd Tramor Prydain, ddarllen datganiad yn y Senedd o'r enw 'Datganiad ar y Cyd gan Aelodau'r Cenhedloedd Unedig' ar ran llywodraeth Prydain a llywodraeth America. Daeth y datganiad i ben gydag addewid y byddai'r rhai a oedd yn gyfrifol am y troseddau hyn yn cael eu cosbi.

Ebrill 1943 Cynhaliwyd Cynhadledd Bermuda rhwng Prydain ac UDA i drafod cynlluniau posibl i achub dioddefwyr y Natsïaid, ac i wneud cynlluniau ar gyfer ffoaduriaid. Wnaeth y gynhadledd ddim cyflawni llawer, ac ni chafodd yr un Iddew ei achub o ganlyniad iddi.

Mehefin 1944 Cafodd Prydain ac America adroddiadau manwl am Auschwitz-Birkenau, o'r enw protocolau Auschwitz. Roedden nhw'n cynnwys gwybodaeth fanwl am y siambrau nwy a'r amlosgfeydd, yn seiliedig ar wybodaeth gan bedwar dyn a oedd wedi dianc o Auschwitz-Birkenau. Roedd rhai yn dadlau y dylai'r rheilffyrdd i Auschwitz-Birkenau gael eu bomio. Penderfynwyd mai'r peth gorau fyddai canolbwyntio ar ennill y rhyfel.

15 Ebrill 1945 Daeth milwyr Prydeinig o hyd i wersyll crynhoi Bergen-Belsen. Roedd y darganfyddiad wedi syfrdanu'r milwyr yn ofnadwy (gweler tudalen 65). Cafodd manylion yr amodau eu darlledu i'r cyhoedd ym Mhrydain drwy gyfrwng y radio, ffilmiau ac adroddiadau mewn papurau newydd.

Ar ôl y rhyfel, gwnaeth llywodraeth Prydain wrthod caniatáu i dorfeydd o oroeswyr Iddewig ymfudo. Roedd rhai wedi gallu dod i Brydain fel perthnasau Iddewon a oedd eisoes yn byw yma. Roedd rhaid i'r ffoaduriaid hyn gael eu cefnogi gan eu teulu.

Astudiaethau achos

Cyn y rhyfel: Ffoaduriaid Iddewig a'r *Kindertransport*

Cafodd y cynllun *Kindertransport* ei drefnu gan bwyllgorau cymorth i ffoaduriaid, ac nid gan lywodraeth Prydain. Roedd rhaid gwarantu taliad i ofalu am bob plentyn. Roedd y plant i fod i ddychwelyd adref ar ddiwedd yr argyfwng. Doedd dim hawl gan rieni ddod gyda'u plant. Ni wnaeth llawer o'r plant weld eu rhieni byth eto, ac roedd

Merch Iddewig, yn gwisgo tag wedi'i rifo, ar ôl iddi gyrraedd Lloegr gyda'r ail *Kindertransport*.

y profiad yn un trawmatig iddyn nhw. Er gwaethaf yr heriau hyn, gwnaeth y cynllun achub bywydau tua 10,000 o blant.

Caethiwo: Bernd Simon

Roedd Bernd Simon wedi dianc o'r Almaen Natsïaidd yn 1933 gyda myfyrwyr ac athrawon o'i ysgol. Roedd ei fam, Gerty Simon, ffotograffydd adnabyddus (gweler tudalen 18), wedi dilyn ei mab i Brydain. Er iddyn nhw ddod i Brydain fel ffoaduriaid, cafodd athrawon a myfyrwyr gwrywaidd dros 16 oed o hen ysgol Bernd eu **caethiwo** (*interned*) yn 1940 (gweler y llinell amser ar dudalen 80). Cafodd Bernd, ynghyd â 2,500 o ddynion ifanc eraill, yr oedd y rhan fwyaf ohonyn nhw yn Iddewon, eu hanfon i Awstralia ar long. Pan gyrhaeddon nhw, cawson nhw eu caethiwo mewn gwersyll. Cytunwyd i ryddhau Bernd yn y pen draw, ddiwedd mis Rhagfyr 1941. Pan ddaeth yn ôl i Brydain, dechreuodd weithio i helpu gydag ymdrech y rhyfel. Bu'n gwneud hyn tan ddiwedd y rhyfel.

Ar ôl y rhyfel: 'Y Bechgyn'

Llwyddodd y Pwyllgor dros Ofal Plant o Wersylloedd Crynhoi i berswadio llywodraeth Prydain i dderbyn 1,000 o blant Iddewig fel ffoaduriaid ar yr amod y byddai cymuned Iddewig Prydain yn talu amdanyn nhw. Daeth cyfanswm o 732 o blant i Brydain, ac er bod 80 ohonyn nhw yn ferched, cawson nhw'r llysenw 'Y Bechgyn'. Cafodd y grŵp cyntaf o 300 eu hanfon i Windermere yn Ardal y Llynnoedd, ac anfonwyd

Pedwar o'r 'Bechgyn', plant amddifad Iddewig a gafodd eu cludo i'r DU fel ffoaduriaid ar ôl y rhyfel.

grwpiau dilynol i leoliadau eraill ledled Prydain. Arhosodd llawer o'r 'Bechgyn' ym Mhrydain a chael bywydau hapus a llwyddiannus.

Rhywbeth i'w ystyried

Beth arall gallwn ni ei ddysgu am ymatebion llywodraeth Prydain o'r astudiaethau achos hyn?

Dehongliadau gwahanol o ymateb Prydain i'r Holocost

Mae llawer o haneswyr a gwleidyddion wedi ceisio asesu ymateb llywodraeth Prydain i'r Holocost. Dydyn nhw ddim wedi cytuno bob amser. Yn wir, mae sawl dehongliad gwahanol o weithredoedd llywodraeth Prydain. Mae enghreifftiau o dri dehongliad gwahanol i'w gweld yn y blychau isod.

Dehongliad 1

'Rwy'n credu bod y cyfnod hwn yn diffinio Prydain a'r hyn mae'n ei olygu i fod yn Brydeinig. Ymateb unigryw Prydain i'r Holocost, a'i rôl unigryw yn y rhyfel, sy'n rhoi'r hawl i ni honni bod gennym gysylltiad penodol â gwerthoedd democratiaeth, cydraddoldeb, rhyddid, tegwch a goddefgarwch.'

O *Britain's Promise to Remember: The Prime Minister's Holocaust Commission Report*

Dehongliad 2

'Does dim llawer i'w ddathlu yn yr adroddiad hwn am bolisi Prydain tuag at Iddewon Ewrop rhwng 1939 ac 1945 … Mae'r hanes cyffredinol yn gadael argraff hynod o drist.'

Bernard Wasserstein, *Britain and the Jews of Europe 1939–45*

Dehongliad 3

'Yn ystod haf 1941 … ni fyddai Prydain wedi gallu gwneud dim byd, hyd yn oed petai eisiau, i achub Iddewon Ewrop rhag eu difa. Ond yn amlwg, doedd Prydain ddim eisiau gwneud dim byd. Gallen nhw fod wedi gwneud pethau pwysig ar y cyrion … Yn ymarferol, roedd eu hopsiynau yn gyfyngedig, yn ogystal â'u hymwybyddiaeth o'r hyn oedd yn digwydd.'

Yehuda Bauer, *Rethinking the Holocaust*

Gweithgaredd

Wedi ystyried y dystiolaeth ar y tudalennau hyn, pa un o'r tri dehongliad ar y dudalen hon sy'n adlewyrchu ymateb Prydain i'r Holocost orau, yn eich barn chi? Esboniwch eich dewis.

Nawr eich bod chi wedi astudio'r uned hon, gwiriwch eich gwybodaeth yma:
www.ucl.ac.uk/holocaust-education

Datblygu gwybodaeth a dealltwriaeth

Er mwyn gwella eich gwybodaeth a herio camddealltwriaethau cyffredin, byddwch chi'n dysgu am y canlynol:

- Sut cafodd cymunedau Iddewig ledled Ewrop eu dinistrio gan yr Holocost, a'r rhan fwyaf eu colli am byth.
- Sut roedd grwpiau eraill wedi dioddef oherwydd y Natsïaid a'u **cydweithredwyr**.
- Yr anawsterau roedd llawer o oroeswyr yn parhau i'w hwynebu ar ôl i'r rhyfel ddod i ben.
- Y ffaith na wnaeth **gwrth-Semitiaeth** ddiflannu pan gafodd y Natsïaid eu trechu.
- Y ffaith bod llawer o oroeswyr wedi **ymfudo** i wledydd eraill ar ôl y rhyfel, gan gynnwys **Israel** a Phrydain.
- Doedd dim croeso bob amser i oroeswyr Iddewig mewn gwledydd eraill ar ôl yr Holocost.
- Y ffaith nad yw 99 y cant o'r rhai a oedd yn gyfrifol am yr Holocost erioed wedi wynebu cyfiawnder a ddim wedi cael eu cosbi.

Meddwl yn hanesyddol

Dehongliadau o arwyddocâd

Mae llawer o syniadau neu ddehongliadau gwahanol ynglŷn â pham mae'r Holocost yn arwyddocaol. Mae rhai o'r rhain wedi'u rhestru isod. Dewiswch dri rydych yn cytuno'n gryf â nhw, ac esboniwch eich dewis.

Mae'r Holocost yn arwyddocaol oherwydd:

- fe wnaeth effeithio ar filiynau o fywydau
- fe wnaeth effeithio yn fawr iawn ar bobl
- fe wnaeth effeithio ar bobl am amser hir, ac mae'n dal i effeithio ar bobl heddiw
- mae'n datblygu ein dealltwriaeth o fod yn ddynol
- mae'n ein dysgu ni at beth gall anoddefgarwch, hiliaeth a gwrth-Semitiaeth arwain
- mae'n dangos y drygioni mae pobl yn gallu ei gyflawni
- mae'n ein dysgu ni i beidio â gwylio heb weithredu
- mae'n ein dysgu ni bod gan bob un ohonom gyfrifoldeb i wella ein byd
- mae'n dangos i ni pa mor fregus yw gwareiddiad Ewrop.

Trafod

- A wnaeth yr Holocost ddod i ben yn 1945 mewn gwirionedd?
- A gafwyd cyfiawnder?
- Beth mae'r Holocost yn ei olygu i chi?

6.1 Beth gafodd ei golli?

Yn ystod yr Holocost, cafodd chwe miliwn o Iddewon eu llofruddio, gan gynnwys miliwn a hanner o blant – 90 y cant o'r holl blant Iddewig a oedd yn byw yn Ewrop. Roedd y golled yn aruthrol. Cafodd teuluoedd cyfan, cymunedau cyfan, trefi a phentrefi cyfan ar draws Ewrop eu difa a doedden nhw ddim yn bodoli mwyach. Cafodd gobeithion a breuddwydion eu chwalu, cafodd ffyrdd o fyw eu dinistrio, ac roedd amrywiaeth y bywyd a'r diwylliant Iddewig a oedd yn bodoli cyn y rhyfel wedi diflannu am byth. Cyn yr Ail Ryfel Byd, roedd dinasoedd fel Warszawa, Budapest a Wien yn fwrlwm o fywyd Iddewig. Heddiw, gallwch chi gerdded ar hyd strydoedd y dinasoedd hyn a pheidio â chyfarfod ag un Iddew hyd yn oed. Meddyliwch am y bwlch enfawr a gafodd ei adael ar ôl yn sgil colli chwe miliwn o bobl; y teuluoedd na chawson nhw gyfle i'w magu, a'r cyfraniadau at gelf, diwylliant a gwyddoniaeth na chawson nhw gyfle i'w gwneud.

Ffigur 6.1 Plant yr ysgol Iddewig yn *shtetl* Trochenbrod (yn Ukrain) yn 1934/35. Yn 1930, roedd tua 5,000 o Iddewon yn byw yn y dref hon, ac roedd yno saith synagog a diwylliant ffermio cyfoethog.

Ffigur 6.2 Lleoliad *shtetl* Iddewig Trochenbrod heddiw. Yn ystod yr Holocost, cafodd pobl, adeiladau a strydoedd y dref eu dinistrio'n llwyr.

Ffigur 6.3 Yr Amgueddfa Iddewig, Berlin. Gwnaeth pensaer yr adeilad hwn (Daniel Libeskind) greu y mannau gwag hyn o'r enw 'gwagleoedd'. Eu nod yw dangos y gwacter yn sgil dinistrio bywyd Iddewig yn yr Holocost. Roedd eisiau gwneud y golled hon yn weladwy yn y bensaernïaeth.

Gweithgareddau

1 Edrychwch eto ar y map ar dudalennau 8–9. Pa wledydd wnaeth golli y nifer mwyaf o Iddewon? O ba wlad roedd y nifer mwyaf o Iddewon a gafodd eu lladd yn dod?

2 Edrychwch ar Ffigurau 6.1 a 6.2. Beth yw'r gwahaniaeth rhwng y lluniau hyn? Beth maen nhw'n ei ddweud wrthym ni am yr Holocost?

3 Edrychwch ar Ffigur 6.3. Sut gwnaeth pensaer yr Amgueddfa Iddewig yn Berlin geisio dangos y gwagle a gafodd ei greu gan yr Holocost? Ymchwiliwch i rai o'r ffyrdd eraill mae pobl wedi ceisio mynegi'r golled enfawr hon?

Dioddefwyr eraill y Natsïaid

Roedd y Natsïaid yn **erlid** grwpiau eraill hefyd, yn ogystal ag Iddewon. Mae'r amcangyfrifon o ran faint gafodd eu lladd yn seiliedig ar adroddiadau'r cyfrifiad, dogfennau'r Natsïaid ac ymchwiliadau ar ôl y rhyfel.

Gweithgaredd

Darllenwch y wybodaeth ar y dudalen hon. Gwnewch ragor o ymchwil i ddioddefaint un o'r grwpiau hyn o dan y Natsïaid.

Dinasyddion Sofietaidd a charcharorion rhyfel

Cafodd carcharorion rhyfel Sofietaidd eu lladd gan y Natsïaid ar raddfa enfawr. O blith tua 5.7 miliwn o garcharorion Sofietaidd, cafodd 3.3 miliwn eu llofruddio. Yn ogystal, cafodd miliynau o sifiliaid Sofietaidd eu llwgu neu eu gweithio i farwolaeth. Gwnaeth y Natsïaid lofruddio llawer iawn o sifiliaid Sofietaidd hefyd, ar yr awgrym lleiaf o wrthwynebiad neu wrthsefyll.

Gwrthwynebwyr gwleidyddol

Yn 1933, gwnaeth y Natsïaid sefydlu gwersylloedd crynhoi i garcharu **gwrthwynebwyr gwleidyddol** yr Almaen (gweler tudalen 27). Cawson nhw eu trin yn greulon iawn ond cafodd y mwyafrif eu rhyddhau. Yn ystod y rhyfel, wrth i filwyr yr Almaen wneud cynnydd i gyfeiriad y dwyrain, rhoddwyd gorchymyn iddyn nhw saethu a lladd pob un o swyddogion y Blaid Gomiwnyddol roedden nhw'n gallu dod o hyd iddo. Hefyd, roedd disgwyl iddyn nhw ladd unrhyw un a oedd yn cael ei ystyried yn fygythiad, fel pobl ddeallus (*intellectuals*), offeiriaid a **phartisaniaid**.

Sifiliaid Pwylaidd

Yn ystod goresgyniad Gwlad Pwyl gan yr Almaenwyr, saethwyd llawer o sifiliaid Pwylaidd, ac anfonwyd llawer mwy i'r **gwersylloedd crynhoi**. Cafodd cannoedd ar filoedd eu gorfodi i adael gorllewin Gwlad Pwyl i wneud lle i'r Almaenwyr. Cafodd tua 1.5 miliwn o bobl Gwlad Pwyl eu defnyddio fel caethlafurwyr. Yn ôl yr amcangyfrifon, cafodd 1.8 miliwn o sifiliaid Pwylaidd nad oedden nhw'n Iddewon eu lladd yn ystod yr Ail Ryfel Byd.

Pobl anabl

Yn ystod y rhyfel, cafodd tua 5,000 o blant anabl eu lladd fel rhan o **raglen 'ewthanasia'** y plant. Dechreuodd rhaglen 'ewthanasia' yr oedolion (gweler tudalen 32) ladd â nwy yn ystod gaeaf 1939. Daeth y rhaglen i ben yn swyddogol yn 1941, ar ôl i dros 70,000 o oedolion yn yr Almaen Fawr a'r rhannau o Wlad Pwyl ym meddiant yr Almaen gael eu llofruddio. Ond, gwnaeth y rhaglen barhau yn gyfrinachol, ac roedd tua 250,000 o bobl anabl wedi'u lladd erbyn diwedd y rhyfel.

Pobl Roma a Sinti ('Sipsiwn')

Pan ddaeth y Natsïaid i rym, aethon nhw ati i erlid pobl **Roma a Sinti** yn yr Almaen Fawr. Gwnaethon nhw ddefnyddio eu deddfau hiliol yn erbyn y 'Sipsiwn'. Cafodd llawer ohonyn nhw eu harestio heb reswm, a'u hanffrwythloni (*sterilised*) yn orfodol. Ar ôl i'r rhyfel ddechrau, cafodd pobl Roma a Sinti eu llofruddio mewn **gwersylloedd marwolaeth**, a bu farw llawer o ganlyniad i newyn a chlefydau mewn gwersylloedd llafur gorfodol a gwersylloedd crynhoi. Bu farw tua 500,000 o bobl. Mae'r **hil-laddiad** hwn weithiau'n cael ei alw yn *Pharrajimos* – y Rheibio Mawr.

6.2 Sut brofiad oedd goroesi'r Holocost?

Rhyddid

Daeth yr Ail Ryfel Byd i ben yn Ewrop ar 8 Mai 1945. I'r Iddewon hynny a oedd wedi goroesi, roedd **rhyddid** yn ddechrau taith hir. Roedd Iddewon wedi bod yn byw mewn ofn ers blynyddoedd; roedden nhw wedi blino'n lân yn gorfforol ac yn feddyliol, yn llwgu ac yn dioddef o glefydau oherwydd yr amodau dychrynllyd yn y gwersylloedd. Nawr, roedd rhaid iddyn nhw ddod o hyd i'r nerth i wynebu'r hyn oedd wedi digwydd.

Ffynhonnell 6.1

Y diwrnod hwnnw …, oedd y diwrnod mwyaf trist yn fy mywyd. Roeddwn i eisiau crio, nid dagrau o lawenydd ond dagrau o alar.

O dystiolaeth Yitzhak Zuckerman

Ffynhonnell 6.2

Roedd fy esgyrn i'w gweld o dan y croen. Roedd fy nghymalau i gyd yn llawn crawn (*pus*), fy mhengliniau, fy mhenelinoedd, fy ngwddf … Roedden nhw'n credu mai diffitheria oedd gen i; ond na … marwolaeth oedd ar fin dod [...] Ac yn sydyn daeth Luisa draw a dweud 'Mae'r rhyfel ar ben.' Rwy'n dal i gofio'r teimlad hwnnw. Yr hyn a feddyliais, oedd 'Nawr? I be? Dyw hi ddim yn bosibl byw bellach, does dim byd ar ôl. Ble roedden nhw cyn hyn? Beth yw'r pwynt nawr?'

O dystiolaeth Miriam Akavia

Gweithgareddau

1 Yn eich barn chi, pam roedd Yitzhak yn teimlo mor drist ar y diwrnod y cafodd ei ryddhau?

2 Sut byddech chi'n disgrifio teimladau Miriam ar y diwrnod y cafodd ei rhyddhau?

Ffigur 6.4 Goroeswr yn eistedd ar ei ben ei hun yn Bergen-Belsen ar ôl cael ei ryddhau, Ebrill 1945.

Wynebu'r hyn oedd wedi digwydd

Dechreuodd y goroeswyr chwilio am eu teuluoedd cyn gynted â phosibl. Roedden nhw'n edrych yng nghofrestri goroeswyr y gwersylloedd, yn cysylltu â'r Groes Goch neu'n dychwelyd adref i weld beth oedd ar ôl. Doedd y rhan fwyaf ddim yn llwyddiannus. Yn achos y rhan helaeth o oroeswyr, nhw oedd yr unig aelod o'r teulu cyfan i oroesi.

Roedd y rhai a benderfynodd ddychwelyd adref yn wynebu realiti creulon: doedd ganddyn nhw ddim teulu ar ôl, dim cartref, dim cymuned a dim eiddo. Roedd y lleoedd roedden nhw'n eu cofio fel 'adref' cyn y rhyfel ddim yr un fath mwyach.

Ffynhonnell 6.3

Yn sydyn rwy'n sefyll yng nghanol y ddinas [...] ac yn gofyn i mi fy hun , 'Felly beth? Cartref – wedi mynd, teulu – wedi mynd, plant – wedi mynd, ffrindiau wedi mynd, Iddewon – wedi mynd ... Ai dyma beth wnes i ymladd drosto? Ai dyma beth wnes i aros yn fyw ar ei gyfer?' Yn sydyn, sylweddolais pa mor ddibwynt oedd fy holl ymdrechion, a doeddwn i ddim yn teimlo fel byw.

O dystiolaeth Shmuel Shulman Shilo

Dechrau o'r newydd

Yn fuan iawn, sylweddolodd llawer o'r goroeswyr a wnaeth ddychwelyd i'w cartrefi – yn enwedig yn nwyrain a chanol Ewrop – nad oedd croeso iddyn nhw gan lawer o'r bobl leol. Yn wir, ar ôl y rhyfel, gwnaeth goroeswyr ddioddef ymosodiadau gwrth-Semitig gan bobl leol ar sawl achlysur. Digwyddodd y **pogrom** mwyaf yn Kielce, Gwlad Pwyl, lle cafodd 42 o oroeswyr Iddewig eu llofruddio ar 4 Gorffennaf 1946.

Ffynhonnell 6.4

Es i adref. Doedd gen i unman i aros ... Roedd y porthor yn byw yn y tŷ ac roedd yn gwrthod gadael i mi fynd i mewn ... Roedd gen i fodrybedd a theulu. Es i weld eu fflatiau i gyd. Roedd pobl nad oedden nhw'n Iddewon yn byw ym mhob un ohonyn nhw. Gwnaethon nhw wrthod gadael i mi fynd i mewn. Yn un lle, dywedodd un ohonyn nhw, 'Pam wnes di ddod yn ôl? Gwnaethon nhw fynd â ti i ffwrdd i dy ladd, felly pam oedd rhaid i ti ddod yn ôl?' Penderfynais: Dydw i ddim am aros yma, dwi'n mynd.

O dystiolaeth Shoshana Stark

Ffigur 6.5 Un o oroeswyr ifanc gwersyll crynhoi Buchenwald yn ysgrifennu 'Ble mae ein rhieni?' yn Almaeneg ar ochr trên sy'n gadael y gwersyll.

Gwersylloedd i bobl wedi'u dadleoli

Oherwydd yr elyniaeth hyn, ac oherwydd nad oedd ganddyn nhw ddim byd ar ôl, gwnaeth llawer o Iddewon benderfynu ymfudo i wlad arall. Doedd ymfudo ddim yn hawdd oherwydd doedd gwledydd ddim yn caniatáu mynediad i lawer o **ffoaduriaid**. Nes eu bod yn gallu cael fisa i ymfudo, roedd cannoedd ar filoedd o oroeswyr yn byw mewn gwersylloedd i bobl wedi'u dadleoli (*displaced persons camps,* neu *DP camps*).

Cafodd gwersylloedd o'r fath eu creu gan **bwerau'r Cynghreiriaid** yn yr Almaen, Awstria a'r Eidal. Roedd bywyd yn y gwersylloedd yn anodd, ond yn araf bach, dechreuodd y goroeswyr ailafael yn eu bywyd.

Ymfudo

Roedd UDA, Canada a'r DU i gyd yn gyrchfannau posibl, ond roedd mwyafrif y ffoaduriaid Iddewig eisiau ymfudo i **Fandad Prydeinig Palesteina**. Rhwng 1945 ac 1948, ceisiodd 70,000 o oroeswyr ymfudo yno, ond gwrthod wnaeth llywodraeth Prydain, a oedd yn rheoli Palesteina ar y pryd, gan ei bod yn poeni am aflonyddwch Arabaidd yn y rhanbarth (gweler tudalen 80). Gwnaeth llynges Prydain atal llongau a oedd yn cario goroeswyr, a chafodd y rhan fwyaf o'r ffoaduriaid eu cadw ar ynys Cyprus.

Yn 1947, gwnaeth Prydain drosglwyddo rheolaeth o Fandad Prydeinig Palesteina i'r Cenhedloedd Unedig, a wnaeth bleidleisio i rannu'r diriogaeth yn ddwy ran, un Arabaidd ac un Iddewig. Er i'r bobl Arabaidd wrthwynebu,

Ffigur 6.6 Ysgol feithrin yng ngwersyll Bindermichl, Awstria.

Ffigur 6.7 Yr *Exodus 1947* gyda goroeswyr Iddewig yr Holocost ar fwrdd y llong.

cafodd gwladwriaeth Israel ei datgan ym mis Mai 1948. Yn arwyddocaol, gallai pob Iddew a oedd eisiau mynd i Israel wneud hynny bellach. Yn ôl yr amcangyfrifon, roedd 170,000 o Iddewon wedi ymfudo i Israel erbyn 1953.

Gweithgaredd

Edrychwch ar Ffigur 6.7. Ymchwiliwch i *Exodus 1947*. Ceisiwch ddarganfod mwy am daith y llong a beth ddigwyddodd i'r goroeswyr Iddewig a oedd yn teithio arni.

Goroeswyr yr Holocost ym Mhrydain

Ar ôl y rhyfel, wnaeth llywodraeth Prydain ddim caniatáu i lawer o oroeswyr ymfudo i'r Deyrnas Unedig. Roedd gan rhai o'r bobl a ddaeth i Brydain berthnasau yn byw yno yn barod – roedden nhw'n cefnogi'r goroeswyr heb gymorth y llywodraeth. Cafodd nifer o oroeswyr gymorth emosiynol ac ariannol gan sefydliadau anllywodraethol hefyd.

Er bod pobl Prydain wedi cael braw o glywed am yr hyn a oedd wedi digwydd i'r Iddewon yn ystod yr Holocost, roedd ganddyn nhw lai o ddiddordeb mewn clywed straeon y goroeswyr. Cafodd eu profiadau eu hanwybyddu ar y cyfan.

Yn wir, roedd llawer o oroeswyr yn methu siarad am yr hyn roedden nhw wedi ei weld a'i ddioddef. Yn aml, roedden nhw wedi cael ysgytwad mawr, a'u profiadau wedi achosi trawma enfawr iddyn nhw. Roedden nhw hyd yn oed yn ei chael yn anodd siarad â'u teulu. Roedd y cyfan yn rhy boenus. Weithiau, roedd effaith yr Holocost nid yn unig yn effeithio ar y goroeswyr, ond ar eu plant hefyd.

Roedd goroeswyr yn wynebu heriau eraill. Roedd llawer ohonyn nhw'n cael hunllefau dychrynllyd. Roedd eraill yn cael trafferth ymddiried mewn pobl eraill, a byth yn teimlo'n gwbl ddiogel. Er gwaethaf yr anawsterau hyn, roedd goroeswyr yn rhyfeddol o wydn. Fel arfer, roedden nhw'n llwyddo i fyw bywyd llawn, gan sefydlu cartref, magu teulu a meithrin dyfodol. Roedden nhw'n dod o hyd i swyddi ac yn gweithio'n galed, gan wneud cyfraniad mawr at fywyd ym Mhrydain, mewn pob math o ffyrdd. Doedd gan y rhan fwyaf o oroeswyr ddim teimladau o ddialedd na chwerwder. Yn aml, roedd ganddyn nhw agwedd gadarnhaol tuag at fywyd.

Ffynhonnell 6.5

Roedd fy ewythr yn aros i'n croesawu ger y cei yn Dover. Doedd y croeso ddim yn un cynnes: 'Croeso i Loegr. Deallwch hyn, yn fy nhŷ i dydw i ddim eisiau i chi siarad am unrhyw beth ddigwyddodd i chi. Dydw i ddim eisiau gwybod a dydw i ddim eisiau i chi ypsetio fy merched'.

Kitty Hart-Moxon, goroeswr yr Holocost, yn disgrifio'r diwrnod y cyrhaeddodd hi lannau Prydain

Ffynhonnell 6.6

Wnaeth fy nhad erioed siarad am yr Holocost nes fy mod yn hŷn o lawer … [ond] roedd ei brofiadau trawmatig wedi ei newid. Roedd yn gweld perygl anweledig ym mhob man, a doedd e ddim wir yn credu ei bod yn bosibl bod yn ddiogel. Fel llawer o blant eraill [a gafodd eu geni] i oroeswyr yr Holocost, roedd bwlch enfawr rhwng yr amgylchedd diogel o'm cwmpas a'r amgylchedd trawmatig yn meddwl fy nhad. Tyfais i fyny gyda'r gwrthgyferbyniad hwn; yn ceisio dal ymlaen at sefyllfa ddiogel wrth anadlu trawma anweledig a wnaeth fy ngwneud yn anarferol o or-wyliadwrus, yn bryderus ac yn anniogel.

O dystiolaeth mab i oroeswr Iddewig, Gogledd Llundain

Gweithgareddau

1 Darllenwch Ffynhonnell 6.5. Pam na fyddai pobl eisiau gwrando ar y goroeswyr ar ôl y rhyfel? Yn eich barn chi, sut byddai'r profiad mae Kitty yn ei ddisgrifio wedi gwneud iddi deimlo wrth iddi ddechrau ar ei bywyd ym Mhrydain?

2 Darllenwch Ffynhonnell 6.6. Sut mae mab i oroeswr yn disgrifio effaith yr Holocost arno?

Dros flynyddoedd mwy diweddar, mae nifer o oroeswyr wedi teimlo eu bod bellach yn gallu siarad am eu profiadau yn ystod yr Holocost. Mae llawer ohonyn nhw yn treulio eu hymddeoliad yn teithio ar draws Prydain yn cyfarfod ag athrawon a myfyrwyr. Maen nhw'n adrodd eu straeon dirdynnol mor sensitif ag y gallan nhw, ac yn ateb cwestiynau myfyrwyr. Dydy ailfyw atgof yr Holocost byth yn hawdd, ac mae'n aml yn cymryd sawl awr i oroeswr ddod ato'i hun yn llwyr ar ôl cynnal un sgwrs mewn ysgol neu goleg.

Ffynhonnell 6.7

Mae'n rhaid i mi siarad ar ran y rhai a gollwyd. Rwy'n teimlo bod gen i ddyletswydd i gofio'r llawer na fyddai byth yn cael eu coffáu fel arall. Os na fydden i'n gwneud hyn, byddai fel petai nhw erioed wedi bodoli. Gallwn i byth fradychu'r cof amdanyn nhw.

Mala Tribich, goroeswr yr Holocost

Leon Greenman

Ar ôl y rhyfel, gwnaeth Leon Greenman (gweler tudalen 13) ddychwelyd i Lundain. Roedd wedi colli popeth. Cafodd ei wraig a'i blentyn eu llofruddio yn Auschwitz-Birkenau. Ni wnaeth Leon ailbriodi. Daeth yn fasnachwr ym marchnad Petticoat Lane. Pan oedd yn ei wythdegau, daeth yn weithgar yn y frwydr yn erbyn hiliaeth gan gymryd rhan mewn protestiadau heddychlon a digwyddiadau addysgu. Daeth hyn yn genhadaeth iddo. Bu farw yn 2008, yn 97 oed. Erbyn diwedd ei oes, roedd wedi rhoi ei **dystiolaeth** i gannoedd ar filoedd o bobl.

Rhywbeth i'w ystyried

Pam mae goroeswyr yn fodlon wynebu'r profiad poenus o adrodd eu stori i bobl ifanc? Gall Ffynonellau 6.7 a 6.8 helpu i ddatblygu eich syniadau.

Ffynhonnell 6.8

Ddaw'r meirw ddim yn ôl wrth ddial.
Ddaw'r dioddefaint yn ddim llai wrth ddial.
Dim ond trais fydd ar ei ennill.

Anodd credu bod rhai mor euog.
A sut mae sicrhau 'na all hyn ddigwydd eto'?

Ailafael yn fy mywyd oedd y nod,
creu bywyd newydd.
Ond does gen i ddim plant, dim wyrion i'w cofleidio.

A lwyddais i? Wn i ddim,
a minnau'n brysur wrth y gwaith hwn,
y gwaith na ddewisais, fy nghenhadaeth?

Cerdd a gafodd ei hysgrifennu gan Leon Greenman. Daeth ei ffrind agos a ffyddlon, Ruth-Anne Lenga, o hyd i'r gerdd yn ei dŷ ar ôl iddo farw. Gweithiodd yn agos gyda Leon wrth iddo addysgu pobl ifanc yn yr Amgueddfa Iddewig yn Llundain, a theithio ar draws y wlad yn siarad â myfyrwyr mewn ysgolion a cholegau.

Gweithgaredd

Beth mae cerdd Leon yn ei ddweud wrthym ni am effaith hirdymor yr Holocost ar ei fywyd?

6.3 A gafwyd cyfiawnder?

Cyn i'r **Almaen Natsïaidd** gael ei gorchfygu, roedd pwerau'r Cynghreiriaid wedi cytuno na fyddai unrhyw drafod gyda'r Natsïaid. Penderfynwyd hefyd y byddai'r Almaen, ar ôl ei gorchfygu, yn cael ei rhannu yn barthau o dan feddiannaeth filwrol (parth Sofietaidd, Prydeinig, Ffrengig ac Americanaidd). Gwnaethon nhw hefyd gytuno i ddinistrio rheolaeth a dylanwad y Natsïaid yn yr Almaen, a chosbi'r rhai a oedd yn gyfrifol am droseddau rhyfel. Yr enw ar y broses hon oedd dad-Natsïeiddio.

Pan ddaeth y rhyfel i ben, cafodd y blaid Natsïaidd ei gwahardd a chafodd symbolau Natsïaidd eu tynnu o fannau cyhoeddus ar draws yr holl barthau wedi'u meddiannu. Cafodd y treial cyntaf ar gyfer troseddwyr rhyfel ei gynnal yn Nürnberg, yr Almaen, yn 1945–46. Daeth y barnwyr o Brydain, Ffrainc, yr Undeb Sofietaidd ac UDA. O'r 22 diffynnydd, cafodd 19 eu dyfarnu'n euog, a 10 ohonyn nhw eu dedfrydu i farwolaeth.

Rhwng 1946 ac 1949, cynhaliwyd 12 treial arall yn Nürnberg, a daethpwyd â chyfanswm o 199 o swyddogion llywodraeth yr Almaen, arweinwyr milwrol, aelodau o'r SS, meddygon, cyfreithwyr a diwydianwyr gerbron y llysoedd. Cafodd cyfanswm o 161 eu dyfarnu'n euog.

Rhywbeth i'w ystyried

Ydych chi'n cytuno â barnwyr Nürnberg nad yw 'dilyn gorchmynion' yn esgus dros lofruddio?

Treial yr *Einsatzgruppen* (1947–48)

Un o'r treialon a gafodd ei gynnal yn Nürnberg oedd treial 24 o arweinwyr unedau lladd symudol yr SS, yr *Einsatzgruppen* (gweler tudalen 51). Gwnaeth y diffynyddion gyfaddef eu bod nhw wedi cyflawni'r troseddau, ond roedden nhw'n honni nad oedden nhw'n gyfrifol gan mai dilyn gorchmynion yr uwch swyddogion oedden nhw. Gwnaethon nhw bledio yn 'ddieuog', ond penderfynodd y llys eu bod yn euog. Cafodd rhai ohonyn nhw eu dedfrydu i farwolaeth, ac anfonwyd rhai eraill i'r carchar. Doedd y barnwyr yn nhreialon Nürnberg ddim yn derbyn bod 'dilyn gorchmynion' yn amddiffyniad digonol ar gyfer gweithredoedd troseddol.

Y diffynyddion yn eistedd yn y doc yn nhreial yr *Einsatzgruppen*.

A gafwyd cyfiawnder?

Rhywbeth i'w ystyried

Digwyddodd yr Holocost ar hyd a lled Ewrop. Digwyddodd gan fod miliynau o bobl wedi cymryd rhan. A gafwyd cyfiawnder? A oedd hi'n bosibl cael cyfiawnder am y troseddau hyn?

Polisi pwerau'r Cynghreiriaid oedd bod gan bob Almaenwr gyfrifoldeb moesol am y troseddau a gafodd eu cyflawni gan y Natsïaid a'u cydweithredwyr. Cafodd delweddau a ffilmiau o wersylloedd crynhoi y Natsïaid eu dangos i sifiliaid a milwyr Almaenig (gweler Ffigur 6.8). Cafodd sifiliaid Almaenig a oedd yn byw gerllaw'r gwersylloedd crynhoi eu gorfodi i ymweld â'r safleoedd i weld yr amodau yno. Mewn rhai achosion, cawson nhw eu gorfodi i gladdu cyrff ac i roi rhai o'u heiddo personol i helpu cyn-garcharorion.

Cyn bo hir, fodd bynnag, penderfynodd pwerau'r Cynghreiriaid drosglwyddo cyfrifoldeb am ddad-Natsïeiddio i'r Almaenwyr eu hunain. Cynhaliodd yr Almaenwyr rai treialon ychwanegol, ond nifer bach iawn o bobl gafodd eu dedfrydu'n euog. Yn ôl yr hanesydd Mary Fulbrook, roedd 99 y cant o'r bobl a oedd yn gyfrifol am ladd Iddewon wedi llwyddo i osgoi treial. Aeth llawer ohonyn nhw yn ôl i'w cartref a'u teulu. Gwnaeth llawer mwy ddianc i wledydd y tu hwnt i Ewrop. Ar y cyfan, ni fu'n rhaid i bobl a oedd wedi cyflawni'r troseddau hyn, a chydweithredwyr ledled Ewrop, erioed gymryd cyfrifoldeb am eu gweithredodd.

Ffigur 6.8 Carcharorion rhyfel Almaenig, a oedd yn cael eu cadw mewn ysbyty Americanaidd, yn cael eu gorfodi i wylio ffilm yn dangos yr amodau dychrynllyd yng ngwersylloedd crynhoi yr Almaen.

Ffynhonnell 6.9

Roedd cyfanswm y bobl a gafodd eu dyfarnu'n euog yn y Weriniaeth Ffederal [yr Almaen] am droseddau Natsïaidd yn llai hyd yn oed na'r nifer a gafodd eu cyflogi yn Auschwitz yn unig.

Mary Fulbrook, ysgolhaig yr Holocost

Rhywbeth i'w ystyried

Er eu bod yn brin, mae treialon ar gyfer troseddwyr Natsïaidd wedi cael eu cynnal yn ddiweddar. Er enghraifft, yn 2019, cafodd Bruno Dey, un o warchodwyr yr SS, ei roi ar brawf am ei droseddau. Pan ddechreuodd y treial, roedd yn 93 oed. Mae rhai pobl yn credu na ddylai pobl mor hen â Bruno Dey gael eu rhoi ar brawf ar ôl yr holl flynyddoedd. I'r goroeswyr, mae treial fel un Bruno yn bwysig. Pam rydych chi'n credu bod y treialon hyn yn bwysig iddyn nhw? Yn eich barn chi, a ddylid parhau i gynnal y treialon hyn?

Centre for Holocaust Education

Nawr eich bod chi wedi astudio'r uned hon, gwiriwch eich gwybodaeth yma: **www.ucl.ac.uk/holocaust-education**

Ym mhedwar ban y byd, mae amgueddfeydd, cofebau a chofgolofnau wedi cael eu hadeiladu fel safleoedd i addysgu a chofio am yr Holocost. Er enghraifft, ar adeg ysgrifennu'r llyfr hwn, mae cynllun ar droed i adeiladu Cofeb a Chanolfan Addysg newydd yn y Deyrnas Unedig, ger Palas San Steffan yn Llundain. Mae penderfynu beth i'w gynnwys mewn unrhyw amgueddfa, cofeb neu ganolfan addysg yn gyfrifoldeb pwysig ac anodd iawn.

Gweithgaredd

Mae cynnig wedi'i gyflwyno i sefydlu Canolfan Addysg yr Holocost newydd mewn dinas gerllaw. Mae cyngor y ddinas wedi gofyn i chi am gyngor o ran beth i'w gynnwys yn y ganolfan. Yn benodol, mae angen i chi benderfynu ar dair elfen:

1 Pa wybodaeth allweddol am yr Holocost ddylai gael ei chynnwys yn y Ganolfan Addysg?

Dangosodd ymchwil UCL gyda myfyrwyr ysgolion uwchradd mai dim ond gwybodaeth gyfyngedig sydd gan lawer o bobl ifanc am yr Holocost. Mae'r gwerslyfr hwn yn nodi rhywfaint o'r wybodaeth hanfodol mae angen i fyfyrwyr ei gwybod er mwyn herio camddealltwriaethau cyffredin. Edrychwch eto ar unedau'r llyfr ac ysgrifennwch chwe ffaith allweddol sydd, yn eich barn chi, yn bwysig i bob ymwelydd wybod amdanyn nhw wrth ymweld â'r Ganolfan Addysg. Bydd y ffeithiau allweddol hyn yn cael eu harddangos yn amlwg mewn mannau gwahanol yn y Ganolfan. Wrth ymyl pob ffaith allweddol, esboniwch yn gryno pam mae'n bwysig bod pobl yn cael gwybod y wybodaeth hon.

2 Pa ffotograffau ddylai'r Ganolfan Addysg eu harddangos yn oriel y fynedfa?

Mae gofyn i chi hefyd nodi tri ffotograff a fydd yn cael eu chwyddo a'u harddangos yn oriel y fynedfa i'r Ganolfan Addysg. Ewch drwy'r llyfr unwaith eto a dewiswch dri ffotograff y byddech chi'n hoffi eu harddangos. Ysgrifennwch baragraff ar gyfer pob un, yn esbonio pam gwnaethoch chi ei ddewis.

3 Pa unigolion ddylai gael sylw ar waliau'r Ganolfan?

Drwy gydol y llyfr hwn, rydych chi wedi darllen am fywyd llawer o unigolion y cafodd yr Holocost effaith arnyn nhw. Dewiswch dri o'r rhain. Bydd eu straeon yn cael eu harddangos ar waliau'r Ganolfan Addysg. Ysgrifennwch esboniad byr yn nodi pam eich bod chi wedi dewis y tri unigolyn hyn. Yn eich barn chi, pa wybodaeth am eu bywyd mae'n bwysig i ymwelwyr gael gwybod?

Geirfa

'Adleoli' ('resettlement'): Gair a oedd yn cael ei ddefnyddio'n aml gan y Natsïaid i gyfeirio at allgludo Iddewon a phobl eraill i safleoedd llofruddio yn nwyrain Ewrop.

Ailfilwrio (remilitarise): Milwrio unwaith yn rhagor; ailarfogi ar ôl cael eich diarfogi. Ar ôl y Rhyfel Byd Cyntaf, doedd Cytundeb Versailles ddim yn caniatáu i fyddin yr Almaen fynd i'r Rheindir. Ym mis Mawrth 1936, fodd bynnag, gwnaeth Hitler orchymyn i filwyr yr Almaen fynd i mewn i'r ardal.

Allgludo (deport): Gorfodi rhywun i adael un wlad a symud i un arall.

Alltudio (expel): Gorfodi rhywun i adael rhywle.

Anschluss: Gair Almaeneg am 'uniad'. Mae'r gair yn cyfeirio at uno Awstria a'r Almaen Natsïaidd ym mis Mawrth 1938.

Bwch dihangol (scapegoat): Rhywun sy'n cael y bai am ddrygioni, camgymeriadau neu feiau pobl eraill.

Caethiwo (intern): Caethiwo rhywun fel carcharor, yn enwedig am resymau gwleidyddol neu filwrol.

Comiwnydd: Rhywun sy'n credu yn egwyddorion comiwnyddiaeth ac yn eu cefnogi. Ideoleg wleidyddol yw comiwnyddiaeth, sy'n ymwneud â'r ffordd dylai cymdeithasau ac economïau gael eu trefnu. Er enghraifft, mae'n dadlau o blaid cydberchnogaeth o ran adnoddau a diwydiannau, er budd pawb.

Cydweithredwyr: Pobl, sefydliadau a llywodraethau a wnaeth helpu'r Natsïaid i erlid a/neu lofruddio Iddewon.

Cynghreiriaid: Gwledydd sy'n cydweithio'n ffurfiol gyda'i gilydd at ddiben milwrol neu ddiben arall.

Cymathu: Pan fydd rhywun yn dod yn rhan o'r gymdeithas a'r diwylliant ehangach.

Cyrffyw: Rheol sy'n ei gwneud yn ofynnol i bobl adael y strydoedd neu fod yn eu cartref ar amser penodol.

Cytundeb niwtraliaeth: Cytundeb rhwng gwledydd i beidio â gweithredu'n filwrol yn erbyn ei gilydd. Ym mis Awst 1939, gwnaeth yr Almaen a'r Undeb Sofietaidd lofnodi cytundeb niwtraliaeth o'r enw Pact Molotov–Ribbentrop neu Pact y Natsïaid a'r Sofietaid.

Deddf Alluogi: Deddf a gafodd ei phasio gan y Reichstag (senedd yr Almaen) ar 23 Mawrth 1933, a oedd yn rhoi hawl i Hitler lunio deddfau heb gymeradwyaeth y Reichstag am y pedair blynedd nesaf. Roedd yn rhoi pŵer absoliwt i Hitler a'r Natsïaid lunio deddfau, gan eu galluogi nhw i ddinistrio pob gwrthwynebiad.

Diawleiddio (demonise): Portreadu rhywbeth neu rywun fel rhywbeth/rhywun creulon a bygythiol.

Dirwasgiad Mawr: Y cwymp economaidd gwaethaf yn hanes y byd diwydiannol. Dechreuodd yn 1929 yn UDA, ond gan fod yr Almaen yn dibynnu ar gymorth ariannol gan America, gwnaeth arwain at ddymchwel economi'r Almaen.

Dognau: Swm penodol o fwyd neu eitemau angenrheidiol eraill (fel sebon) y gall pob unigolyn ei gael.

Einsatzgruppen: Unedau arbennig yr Heddlu Diogelwch a'r SD. Gyda chymorth yr SS, unedau'r heddlu, y fyddin a chydweithredwyr lleol, roedd yr *Einsatzgruppen* yn gyfrifol am achosion o saethu torfol yn yr Undeb Sofietaidd, gan dargedu Iddewon, pobl Roma, comiwnyddion a dinasyddion Sofietaidd.

Erledigaeth: Cael eich trin yn wael, fel arfer oherwydd 'hil' neu gredoau crefyddol neu wleidyddol.

Ffoaduriaid: Pobl sydd wedi cael eu gorfodi i adael eu gwlad, nad ydyn nhw'n gallu dychwelyd adref yn ddiogel.

Getos: Ardaloedd mewn trefi neu ddinasoedd lle roedd Iddewon yn cael eu cadw ar wahân i bobl eraill drwy rym. Roedd getos yn orlawn ac roedd yr amodau byw yn wael. Cafodd y geto cyntaf i gael ei gofnodi ei greu yn Venezia, yr Eidal, yn 1516.

Gwahaniaethu: Trin unigolyn neu grŵp yn wahanol i eraill mewn ffordd annheg.

Gwersyll marwolaeth: Canolfannau lladd a gafodd eu sefydlu gan y Natsïaid yng nghanol Ewrop yn ystod yr Ail Ryfel Byd. Roedd chwe safle: Chelmno, Belzec, Sobibor, Treblinka, Majdanek ac Auschwitz-Birkenau. Cafodd tua 2.5 miliwn o Iddewon Ewropeaidd eu llofruddio yn y canolfannau hyn, yn bennaf drwy eu lladd â nwy mewn siambrau neu faniau gafodd eu hadeiladu'n bwrpasol. Cafodd pobl Roma a Sinti, a dioddefwyr eraill eu llofruddio yn y gwersylloedd marwolaeth hefyd.

Gwersylloedd crynhoi: Mannau lle roedd nifer mawr o bobl yn cael eu cadw fel carcharorion, dan warchodaeth arfog.

Gwersylloedd gwaith: Gwersylloedd lle roedd carcharorion yn cael eu gorfodi i weithio fel caethlafurwyr.

Gwladwriaeth heddlu: Gwladwriaeth sy'n cael ei rheoli gan heddlu gwleidyddol sy'n goruchwylio gweithgareddau pobl yn gyfrinachol.

Gwrth-Semitiaeth: Gelyniaeth tuag at Iddewon, neu ragfarn yn eu herbyn.

Gwrthwynebwyr gwleidyddol: Pobl sy'n perthyn i blaid wahanol neu sydd â syniadau a chredoau gwahanol.

Hil-laddiad (*genocide*): Unrhyw weithred sy'n cael ei chyflawni â'r bwriad o ddinistrio grŵp cenedlaethol, ethnig, hiliol neu grefyddol yn llwyr neu'n rhannol. Yn 1944, ar ôl gweld creulondeb y Natsïaid yn y rhannau o Ewrop wedi'u meddiannu, gwnaeth y cyfreithiwr Iddewig o Wlad Pwyl, Raphael Lemkin, fathu yr ymadrodd 'hil-laddiad' neu '*genocide*' yn Saesneg. Roedd y term yn cyfuno'r gair Groegaidd *genos* (hil neu lwyth) gyda'r gair Lladin *cide* (lladd). Ar 9 Rhagfyr 1948, gwnaeth y Cenhedloedd Unedig ddatgan bod hil-laddiad yn drosedd ryngwladol.

Iawndal: Rhywbeth sy'n cael ei roi i rywun i gydnabod colled, dioddefaint neu anaf – arian fel arfer.

Iddew-Almaeneg: Math o Almaeneg oedd fel arfer yn cael ei siarad gan Iddewon yn nwyrain Ewrop ar yr adeg hwn.

Iddewon Uniongred: Iddewon sy'n dehongli eu crefydd – Iddewiaeth – mewn ffordd draddodiadol, ac sy'n byw eu bywyd yn unol â chyfreithiau Iddewiaeth.

Israel: Gwlad rhwng Gwlad Iorddonen a'r Môr Canoldir. Cafodd ei sefydlu yn 1948 fel gwladwriaeth Iddewig mewn rhanbarth a oedd yn arfer cael ei alw'n Fandad Prydeinig Palesteina. Mae llawer o bobl yn ystyried Israel fel mamwlad hynafol yr Iddewon.

Is-wersylloedd: Roedd rhwydwaith o wersylloedd llai, o'r enw is-wersylloedd, yn aml yn gysylltiedig â'r gwersylloedd crynhoi a'r gwersylloedd gwaith.

Mandad Prydeinig Palesteina: Ar ôl i'r Ymerodraeth Otomanaidd gael ei threchu yn y Rhyfel Byd Cyntaf, rhoddodd Cynghrair y Cenhedloedd y diriogaeth yn y Dwyrain Canol o'r enw 'Palesteina' i Brydain ei rheoli. Cyfeiriwyd at hyn fel Mandad Prydeinig Palesteina, a Prydain oedd yn rheoli rhwng 1920 ac 1948.

Partisan: Aelod o gang arfog wedi'i ffurfio i ymladd yn erbyn llu meddiannol (*occupying force*).

Pogrom: Lladd grŵp penodol o bobl mewn digwyddiad wedi'i drefnu.

Propaganda: Lledaenu gwybodaeth, sy'n aml yn anghywir neu'n gamarweiniol, er mwyn perswadio pobl i gefnogi safbwynt neu achos.

Pwerau'r Axis: Y gwledydd hynny a fu'n ymladd gyda'r Almaen. Mae'r rhain yn cynnwys yr Eidal, Japan, Hwngari, România, Bwlgaria a gwledydd eraill.

Pwerau'r Cynghreiriaid: Y gwledydd a fu'n ymladd yn erbyn yr Almaen, gan gynnwys Prydain, Ffrainc (heblaw am y cyfnod 1940–1944 pan oedd y wlad yn nwylo'r Natsïaid), yr Undeb Sofietaidd o fis Mehefin 1941 ac UDA o fis Rhagfyr 1941. Roedd llawer o genhedloedd eraill yn 'Gynghreiriaid' hefyd.

Roma a Sinti: Pobl Roma a Sinti yw'r lleiafrif mwyaf yn Ewrop, ac maen nhw wedi byw yn Ewrop am dros 1,000 o flynyddoedd. Mae 'Sinti' yn cyfeirio at aelodau o leiafrif ethnig a wnaeth gyfanheddu (*settle*) yn yr Almaen a gwledydd cyfagos ar ddechrau'r bymthegfed ganrif. Mae 'Roma' yn cyfeirio at y lleiafrif ethnig sydd wedi byw yn nwyrain a de ddwyrain Ewrop ers yr Oesoedd Canol. Gwnaeth rhai pobl Roma fudo i orllewin Ewrop yn y ddeunawfed ganrif. Roma a Sinti yw'r enw cywir am y 'Sipsiwn'.

Rhagfarn: Barn neu deimlad annheg tuag at rywun.

Rhaglen 'ewthanasia': Ystyr llythrennol ewthanasia yw 'marwolaeth dda'. Fel arfer, mae'n cyfeirio at achosi marwolaeth ddi-boen i unigolyn sy'n ddifrifol wael a fyddai'n dioddef fel arall. Yn ystod cyfnod y Natsïaid, fodd bynnag, roedd y term yn cael ei ddefnyddio ar gyfer rhaglen llofruddio gudd. Nod y rhaglen oedd lladd pobl ag anableddau meddyliol a chorfforol a oedd, ym marn y Natsïaid, yn gwanhau'r hil 'Ariaidd'.

Rhyddid (*liberation*): Rhyddhau rhywun.

Sbaddu (*castration*): Pan fydd unigolyn yn colli'r defnydd o'i geilliau, naill ai drwy lawdriniaeth neu drwy weithred gemegol. Mae'n achosi anffrwythlondeb (methu cael plant).

Shtetls: Trefi neu bentrefi gyda phoblogaeth fawr o Iddewon.

Tystiolaeth: Datganiad llafar neu ysgrifenedig yn disgrifio digwyddiad neu brofiad.

Tystion Jehofa: Cristnogion sy'n addoli Jehofa, Duw y Beibl. Mae ganddyn nhw gredoau penodol. Gwnaeth llawer ohonyn nhw wrthod gwasanaethu yn y fyddin na derbyn grym llwyr y Natsïaid, gan gredu eu bod nhw'n atebol i Dduw yn gyntaf.

Unben: Rhywun sy'n rheoli ag awdurdod llwyr.

Undeb llafur: Cymdeithas wedi'i threfnu o weithwyr sy'n gysylltiedig â chrefft neu broffesiwn penodol, sy'n cael ei ffurfio i amddiffyn a gwella eu hawliau a'u diddordebau.

Ymfudo (*emigrate*): Gadael y wlad lle rydych chi'n byw i symud i wlad arall. Gall hyn fod yn wirfoddol, neu'n orfodol oherwydd rhyfel, anghydfod neu drychineb naturiol.

Yr Almaen Natsïaidd: Gwladwriaeth yr Almaen rhwng 1933 ac 1945, pan oedd Adolf Hitler a'r Blaid Natsïaidd yn rheoli'r wlad.